Liberte seu inglês

O que fazer para destravar sua conversação

There is just the two of us.

3ª reimpressão - janeiro/2013

Aysha Hijo Capano,
Moriaki Hijo
Neusa M. Cassoni Hijo

Liberte seu inglês

O que fazer para destravar sua conversação

novo século®

São Paulo 2009

PRODUÇÃO EDITORIAL: Equipe Novo Século
EDITORAÇÃO ELETRÔNICA: Fama Editora
CAPA: Fernando Augusto – Elemento Visual
PREPARAÇÃO DE TEXTO: Ana Cristina Teixeira
REVISÃO: Rinaldo Milesi

Dados Internacionais de Catalogação na Publicação (CIP)
(Câmara Brasileira do Livro, SP, Brasil)

Capano, Aysha Hijo
Liberte seu inglês : o que fazer para destravar sua conversação / Aysha Hijo Capano, Moriaki Hijo, Neusa M. Cassoni Hijo. – 2. ed. – Osasco, SP : Novo Século Editora, 2009.

1. Conversação – Estudo e ensino 2. Inglês – Vocabulário e manuais de conversação I. Hijo, Moriaki. II. Hijo, Neusa M. Cassoni. III. Título.

09-07856 CDD-428.2469

Índices para catálogo sistemático:
Guia de conversação : Inglês : Linguística 428.2469
Inglês : Guia de conversação : Linguística 428.2469

2012
IMPRESSO NO BRASIL
PRINTED IN BRAZIL
DIREITOS CEDIDOS PARA ESTA EDIÇÃO À
NOVO SÉCULO EDITORA LTDA.
CEA – Centro Empresarial Araguaia II
Alameda Araguaia 2190 – 11º Andar
Bloco A – Conjunto 1111
CEP 06455-000 – Alphaville – SP
Tel. (11) 2321-5080 – Fax (11) 2321-5099
www.novoseculo.com.br
atendimento@novoseculo.com.br

Sumário

APRESENTAÇÃO

É com muita satisfação que escrevo estas palavras de apresentação para *Liberte seu inglês*. Primeiramente porque, além de conhecer o empenho, a dedicação e o sucesso da autora, Aysha Cassoni Hijo Capano, e dos co-autores, Neusa M. Cassoni Hijo e Moriaki Hijo, no ensino da língua inglesa há anos em sua escola, trabalhei com eles no final da década de 1980 e, desde essa época, pude constatar seu profissionalismo e preocupação diuturna em encontrar formas variadas de guiar o aluno no processo de aprendizagem independente.

Aliás, essa parece ser a tônica deste material: mais do que meramente apresentar palavras ou expressões que se constituam em um glossário de termos úteis, pois essa seleção lexical poderia ser extremamente discutível de diferentes ângulos de aplicação, o que salta aos olhos é a conscientização que se deseja imprimir no âmago do aprendiz quanto à sua responsabilidade na empreitada de se tornar fluente em inglês.

Já nas primeiras páginas, fica evidente o plano de alertar o aluno sobre o que ele mesmo pode (e deve) fazer para otimizar sua fluência e sobre os hábitos ruins que com frequência repete, criando obstáculos na consecução desse objetivo.

Vejamos: partindo da ideia de memorização de frases, os autores tocam em um ponto crucial para qualquer orientação de aprendizagem – ensaiar antes de verdadeiramente atuar. E ensaiar pressupõe memorização.

Ora, não é isso que, como falantes nativos de português, por exemplo, fazemos ao longo de nossa vida? Não é esse o comportamento, em geral, antes daquela entrevista ou daquele encontro importante que teremos? Não ensaiamos o que vamos dizer, quer mentalmente quer em voz alta? Nenhuma teoria de aquisição linguística pode negar o fato de que, sem um arsenal básico de palavras e, consequentemente, um "estoque" de frases, o ato comunicativo verbal, seja qual for o nível de competência, é apenas uma intenção, porém não uma realidade.

Note-se que o material não focaliza em si a importância de alguns substantivos, adjetivos, verbos ou frases feitas, mas usa-os como fundamentação para persuadir o aprendiz a começar a selecionar o léxico que seja fundamental em seu próprio universo comunicativo.

Há que se ressaltar também a relevância dada aos conetivos coordenativos e, principalmente, aos subordinativos – elementos importantes na elaboração de frases mais complexas, mormente no raciocínio do adulto. Ao aprender a se utilizar desses elementos coesivos, o adulto poderá soar cada vez menos como criança na língua estrangeira, pois deixará de ter a justaposição de frases como único recurso para se expressar.

Liberte seu inglês esconde em seu interior uma série de aulas para criar ou aumentar a autoconfiança linguística do aluno de inglês. Aliás, por ser simples e profundo, ao mesmo tempo, este livro pode ser útil na busca de destreza oral em qualquer idioma.

Em última análise, estas são páginas que guiam o aluno do conhecido para o desconhecido e isso, afinal de contas, é o que todo bom professor no "treinamento" (como dizem os autores) de seus alunos deve realizar!

José Carlos Aissa

Doutor em Letras, Unesp, São Paulo
Mestre em Literatura Comparada pela The Pennsylvania State University, EUA
Professor Adjunto de Língua Inglesa e Respectivas Literaturas, Unioeste, Cascavel-PR
Professor Titular de Literatura Norte-americana, UDC, Foz do Iguaçu-PR
Tradutor Público e Intérprete Comercial
Avaliador de Condições de Ensino (MEC-INEP)
University of Cambridge Oral Examiner
Pitman Qualifications Quality Auditor

FOREWORD

When Aysha talked to me about reading her English language book and giving her my opinion I knew right from the beginning that I could expect to read something very different from the normal exercise books sold over the counter of all book shops. In my newly found profession I have read English/Portuguese/English version books written by individuals, groups; English speakers, Portuguese speakers, native, non native, foreigners pertaining to speak one language or the other fluently, with every possible slant taken in a desperate bid to be the best language book on the market for the Brazilian speaker to become a fluent English speaker.

But for me there was always something missing, a vital ingredient that was not there. No one book was ever "complete" for my liking. A classroom style of learning English is simply not enough, one has to be street wise, learn the ropes, the ins and outs of the language, the coloquial expressions that have real meaning. It has always been frustrating for me to try to put this over to my students, this missing "pot of gold", that would finally make the students' eyes light up and say that famous Portuguese expression that says everything " aaaahhhh, táááá !"

Aysha has found that missing Eldorado! She has expressed everything in this book that I have been trying to do for years. As I read on it was uncanny how every thought I had she has put down in writing in this book.

As Aysha says, this is not a text book, it is not for beginners, it is for those that know English, but do not speak it...it is for those that simply "dry up" at the time when they try to express themselves in the English language. God knows, I know all about that in my humble attempts to learn Portuguese, however, with my past experiences of speaking to hundreds of people in seminars, marketing meetings, breakfast/lunch/dinner talks, I was able to surmount this quickly.

With Aysha's help here, and the phrases that she has captured so well to explain the English idioms, one will be able to broaden the horizons and converse in what is the most widely spoken language around the world. In thirty years in the airline profession I have seen many, many things, been involved in many different cultures, and above all, been able to practice communication in almost all corners of the world. This is the be all and end all of learning a foreign language, communicating with people, this has to be the most satisfying emotion.

Thank you Aysha for putting into words what most of us teachers needed to bridge that gap of simply teaching a language "parrot fashion", and being able to take this learning to another level.

Thank you for capturing the very essence of what is needed to speak our language.

Christophe Martin Warrell
Formado em economia e literatura inglesa no Colfe's College, Inglaterra
Diretor da British Airways em Portugal e Brasil (1970-1996)

NOTA DA AUTORA

Prezado leitor,

Para iniciar, um esclarecimento sobre o “inglês de diálogos” e o “inglês para plateia”.

Você se expõe ao inglês para plateia: filmes, entrevistas, reportagens, discursos, etc. Conclui que esse é o inglês de conversação. Não, não é. É inglês para se comunicar com o público. É inglês elaborado para impressionar. É super avançado no nível de proficiência. Você se assusta com esse inglês e desanima.

Agora a boa notícia: felizmente a conversação que você quer usar é o “inglês de diálogos”, ou seja, o inglês de entendimento instantâneo, as frases prontas. Enfim, inglês simples e direto. Ainda bem! Não há motivo para se assustar com esse inglês.

A conversação de diálogos acontece em particular. Nada de plateia. Nada de impressionar. Por isso, quanto mais simples e direto melhor. Por favor, nunca perca isso de vista. É o inglês deste livro.

CONVITE

Você sabe inglês, mas sua conversação está travada?

É você que queremos como nosso leitor. Seja bem-vindo!

Nosso objetivo é bem claro — é ajudá-lo a soltar a língua em inglês.

Ajudar ensinando os fundamentos da conversação, pois quando a mente está confusa são os fundamentos que apontam o caminho.

Se o seu desempenho na conversação não melhora, o convidamos para ler este livro. Não desista de suas aulas de inglês, continue. Agora, com a mente bem orientada para a conversação, seu progresso não demorará a aparecer.

Se você desistiu das aulas, mas não desistiu do sonho de falar inglês, conheça os fundamentos da conversação. Depois pense em voltar às aulas. Dessa vez você começará a falar inglês em pouco tempo.

Então, pronto para começar?

AVISOS

Sobre o objetivo:

Este livro não é um curso de inglês. Não é um curso de conversação.

Não substitui um curso de inglês nem o professor de inglês.

É um livro de orientações para o leitor melhorar seu desempenho na conversação.

Seu foco está na conversação de resultados e não na simples conversação de sobrevivência.

Sobre os fundamentos:

É a primeira vez que o leitor entra em contato com os fundamentos da conversação.

De início, poderá estranhar. Pode ser que leve algum tempo para o efeito aparecer dentro do seu inglês. Por isso, este livro não é para ler uma vez e guardar. É para consultar sempre que precisar. É um manual de orientações.

UMA RÁPIDA EXPLICAÇÃO SOBRE A LINGUAGEM USADA NESTE LIVRO

Escolhemos a linguagem da reação instintiva.

Assim, por exemplo: no lugar de "conjunções" dizemos "sinais de manobra". Estranho, não? Mas funciona para a memória instintiva (ver Capítulo 6).

Outro exemplo. "Uma conversação requer duas pontas: você e o outro.

Entre você e o outro está o entendimento instantâneo.

Na prática, uma conversação só é conversação se tiver o pronto-entendimento".

Perceberam? Não usamos "emissor" e "receptor". Não usamos "interlocutor".

Usamos "você" e "o outro".

E o caso de "frases prontas". Este é um nome genérico que demos, já que os nomes técnicos exigem conhecimentos específicos. Preferimos, então, dar um nome que faça o aluno "visualizar" instintivamente a frase dentro do inglês que ele já conhece.

Enfim, acreditamos que parte do problema do aluno é não conseguir assimiliar instintivamente os termos técnicos e gramaticais que ouve nas aulas. Para ele, são termos abstratos. Exemplo: "conjunções". Este termo não causa impacto no seu cérebro. Não ativa seu instinto. É como conhecer o nome de uma pessoa e nunca conhecer a pessoa. Será que, na hora H, no calor de uma conversação, ele irá reagir ao ouvir "use uma conjunção"? Achamos que não...

Por isso, para o aluno, este livro é uma descoberta!

INTRODUÇÃO

Por que não consigo falar inglês?

Por que meu inglês trava na hora de eu falar?

O aluno adulto desanima ao perceber que seu conhecimento de inglês progride, mas seu desempenho na conversação não. O que fazer?

Seu inglês está passivo. Sua conversação está dispersa. Sua memória falha. Precisa traduzir tudo. Esse aluno precisa concentrar todo seu esforço numa única direção: no evento conversação.

Como? Aplicando os fundamentos da conversação.

Veja um fundamento: "toda a frase tem sua função na conversação. Se o aluno decorar apenas o significado, ele não encontra lugar para aquela frase na sua conversação. Portanto, é preciso entender a 'intenção' de cada frase. É isso que quem é fluente em um idioma faz".

Veja um exercício que pedimos para ser feito, não com o objetivo de aprender inglês, mas sim para treinar sua mente: "exercício para pensar em inglês".

Pronto. Agora, com a mente bem-orientada, o aluno aproveita melhor as aulas.

Resultado? A fluência chega mais cedo.

É bom para o aluno, é bom para o professor e é bom para a empresa que paga.

Boa sorte!

UMA RÁPIDA EXPLICAÇÃO SOBRE CONVERSAÇÃO DE RESULTADOS

Prezado leitor:

O mundo hoje exige mais que a simples conversação de sobrevivência; exige conversação de resultados (ver Capítulo 6, "os três conceitos").

Veja: as pessoas viajam mais, fazem mais cursos de aperfeiçoamento, participam mais de feiras, congressos e reuniões, enfim, ninguém espera de braços cruzados as mudanças no mundo.

Os administradores alertam: nada substitui o olho no olho. Nada funciona mais que estar lá. Nada tem mais valor que o contato pessoal. Deve-se investir em **network**. Enfim, ser impessoal num mundo impessoal é virar paisagem.

Por isso, os bons empregos não perguntam se o candidato sabe inglês e sim se ele é fluente no idioma.

A procura por conversação de resultados em inglês, e em outros idiomas, será cada vez maior pelos alunos adultos. Mas, o aluno adulto desanima e desiste, assim que percebe que seu desempenho na conversação não avança.

É o seu caso? Se for, convidamos você para ler este livro com carinho. Não abondone suas aulas de inglês; insista, continue. Se você desistiu das aulas, mas não desistiu do sonho de falar inglês, regresse às aulas.

Agora, você tem os fundamentos da conversação, pois quando a mente está confusa são os fundamentos que apontam o caminho, que colocam a casa em ordem.

Desejamos a você uma boa leitura!

Esperamos que mais autores escrevam orientações sobre a conversação de resultados. De preferência, diretamente aos alunos, assim, da maneira como estamos fazendo.

Obrigado e sucesso!

Os autores

ONLY

Capítulo 1

É a frase pronta que leva você para a conversação

Uma conversação só é conversação se tiver o pronto entendimento. São as frases prontas que fazem esse papel. Usou frase pronta; não tem erro, é na mosca; é pronto entendimento.

Na vida real todos têm pressa e ninguém quer perder tempo adivinhando. Por isso, todos querem o conforto do pronto entendimento. Se não causar esse conforto seu inglês pode ser recusado. Por isso, a frase pronta é a matéria-prima da conversação de resultados. Frase pronta não é expressão idiomática, não é frase feita. Então, o que é uma frase pronta? Veja a partir da pagina seguinte.

1. FRASE PRONTA É A MATÉRIA-PRIMA DA CONVERSAÇÃO DE RESULTADOS

As pessoas usam "frases prontas" ao falar. Por quê?

Porque elas são prontamente entendidas.

Vamos ver alguns exemplos elementares:

Quando alguém nos chama, dizemos "já estou indo".

"Já estou indo" é a frase pronta em português para essa situação.

E em inglês, como seria?

Como você responderia em inglês?

Para dizer "já estou indo" em inglês você diria **I'm coming**.

I'm coming. É assim que dizem. E é assim que esperam que você diga.

Agora, atenção: se você disser **I'm going**, o que a pessoa vai entender?

Vai entender que você está indo embora, indo para outro lugar.

Bem, então, o que é uma frase pronta?

É uma frase pré-montada, pronta para ser usada.

Ela está engatilhada na mente de todos e, por isso, permite o pronto-entendimento.

Prezado leitor: usou frase pronta, não tem erro! É acertar na mosca; é entendimento instantâneo.

Nota: frase pronta não é expressão idiomática. Não é frase feita.

Exemplos:

Se você precisar dizer ao seu chefe, por exemplo, "farei o que for preciso".

Como você diria "farei o que for preciso" em inglês?

Resposta:

A frase pronta é **I'll do what it takes**.

O seu chefe, ou outra pessoa, espera que você diga a frase **I'll do what it takes**.

E a frase "você quer casar comigo?".

Resposta:

A frase pronta é **Will you marry me?.**

A frase esperada pela amada (ou amado) é **Will you marry me?.**

Lição:

Ninguém tem consciência das frases prontas na própria língua.

As pessoas as usam por reflexo.

Você não tem consciência delas em português.

Um inglês não tem consciência delas em inglês.

2. O CONFORTO DO PRONTO-ENTENDIMENTO

Vamos perguntar novamente.

O que é uma frase pronta?

É qualquer frase pré-montada, pronta para ser usada.

Ela está engatilhada na mente de todos.

Usou, não tem erro, é acertar na mosca: é entendimento instantâneo.

Então, qual é a frase pronta em inglês...

a) Para saber a idade de alguém?

   Sua resposta:______________________________

b) Para responder “já estou indo” para atender o chamado de alguém?

Sua resposta:____________________________________

c) Para dizer “Sim, farei o que for preciso”?

Sua resposta:____________________________________

d) Para dizer “Você quer casar comigo?”

Sua resposta:____________________________________

e) Para dizer “Onde você nasceu?”

Sua resposta:____________________________________

f) Para saber as horas?

Sua resposta:____________________________________

Confira as respostas.

a) **How old are you?**

b) **I’m coming**.

c) **Yes, I’ll do what it takes.**

d) **Will you marry me?**

e) **Where were you born?**

f) **What time is it?**

O que você sente ao usar frases prontas como essas que acabou de usar?

Vamos: o que você sente?

Conforto. Sim, conforto. A frase pronta dá conforto na conversação.

Conforto para quem fala e para quem ouve. Por quê?

Por causa do pronto-entendimento.

Mais duas frases prontas:

Você quer iniciar um assunto e quer chamar a atenção dessa pessoa.

Em português seria: "É o seguinte...".

Em inglês, como seria?

Para dizer "É o seguinte..." diga **Tell you what** ou **You know what?.**

Então, nas suas aulas de conversação, use **Tell you what** ou **You know what?** ao iniciar um assunto.

Lição:

Na vida real todos têm pressa. Ninguém quer perder tempo adivinhando o que o outro quer dizer. Todos querem o conforto do pronto-entendimento.

Uma conversação na vida real — no evento conversação — pode ficar travada por esse motivo. Sem as frases prontas sua conversação se torna artificial e cansativa e pode ser recusada. Isso acontece mais do que se pensa, mas ninguém tem essa consciência. É comum ouvirmos: "Falei tudo certo e não me entenderam".

O inglês correto, mas sem as frases prontas, não causa o conforto que o outro espera.

3. A FRASE PRONTA ESTÁ ENGATILHADA NA MENTE DE TODOS

Exemplo:

Em inglês se diz **It's me, It's us, It's him**.

A gramática manda dizer **It's I**, mas o povo fala instintivamente **It's me**.

As frases prontas são pré-montadas. Não se pode mudá-las.

Exemplo: "Meu irmão está com meu carro hoje" ou "Meu irmão ficou com o meu carro hoje". Essas são frases prontas em português.

Será que em inglês é exatamente a mesma frase?

Em inglês é... bem, tente dizer essa frase em inglês.

Em inglês é **My brother has my car today**. É assim que se diz em inglês.

Mais um exemplo?

Você diz como em um convite: "Posso lhe pagar uma cerveja?".

Será que em inglês é exatamente a mesma frase?

Em inglês, como seria? Com certeza você já ouviu essa frase.

Então, se tivesse que dizê-la agora, o que diria?

Vamos à resposta.

Can I buy you a beer? Esta é a frase pronta em inglês nessa situação.

Vejamos uma prova de que a frase pronta está engatilhada na mente das pessoas. Uma piada demonstra essa ideia.

Vejamos esta piada em português:

"Lá em casa a última palavra é minha. Sempre digo: sim, já estou indo".

No caso do exemplo acima a frase pronta "a última palavra é minha" tem um significado consagrado de "sou eu que mando", mas a piada dá um significado inesperado, o que causa o riso.

Uma piada em inglês:

A friend of mine said "please, call me a doctor".

I said "are you sick?".

He said "no, I just graduated from Medical School".

Em inglês, **call me a doctor** tem o significado consagrado de "me chame um médico" com a ideia de "socorro, estou passando mal". Porém, a piada dá um significado inesperado, o que causa risos.

A frase **call me a doctor** foi usada no sentido de "me chame de médico". Esta piada só é possível em inglês por causa destes dois significados da frase **call me a doctor**.

Lição:

Cuidado: em geral, as palavras das frases prontas em inglês não coincidem com as palavras das frases prontas em português. Você já tem exemplos para comprovar isto: **I'm coming**, **I'll do what it takes**, **Will you marry me?**, **Tell you what**, **How old are you?**, **Where were you born?** etc.

Por isso, você deve sempre traduzir a "ideia" ou "a intenção" e não as palavras.

Se você traduzir palavra por palavra, não irá chegar às frases prontas em inglês, prejudicando o entendimento.

4. COMO APRENDER FRASES PRONTAS?

Ouvindo. Ouvir é o recurso mais importante para você aprender as frases prontas.

Está desvendado o mistério: ouvir frases prontas.

No fundo, a frase pronta é uma descoberta de quem "ouve" inglês.

Exemplos:

Quem viaja para um país de língua inglesa percebe (ouvindo), já no primeiro minuto, a presença vigorosa e ruidosa das frases prontas:

Next, please.

May I help you?

Watch your step.

How do you spell your name?

Where are you from?

É uma frase pronta atrás de outra, o tempo todo.

A pessoa percebe que sua sobrevivência depende (de usar) as frases prontas.

How much is it?

What am I supposed to do with this?

That's it. That's exactly what I want.

It's me. I'm the next.

Yes, I'll do what it takes.

Not that one. It's the blue one.

What's the purpose?

Ser fluente significa usar as frases prontas na hora correta e na situação correta.

Exemplos:

É o caso da frase **That's it**, que você ouve a toda hora (não há como deixar de ouvir).

Você já ouviu a frase **That's it**, não é verdade?

Não há como deixar de ouvir, pois ela é dita todo tempo numa conversação.

Dependendo da situação, **THAT'S IT** significa:

a) Que está correto, que está certo

   Exemplo: **That's it. That's exactly what I want** (Está certo. É exatamente o que quero).

b) Que acabou, terminou

   Exemplo: **Well, it's 5 already. That's it. Let's go home** (Bem, já são quase 5 horas. Acabou. Vamos embora).

c) Que é apenas isso e nada mais

Exemplo: **That's it, folks. That was easy, wasn'l it?** (É apenas isto pessoal. Foi fácil, não foi?).

Então, passe a usar **that's it** na sua conversação. Há ideias e intenções que, naquele momento, é essa frase que comunica com precisão.

Enfim, conversação é falar em função do outro para facilitar o entendimento mútuo.

5. O USO CONSAGRADO (**THE USAGE**)

Mais uma vez: O que é uma frase pronta?

É uma frase normal pré-montada, pronta para ser usada.

Usou, não tem erro, é acertar na mosca: é entendimento instantâneo.

Agora uma informação: frases prontas são consagradas pelo uso coletivo.

Por isso, tem que ser daquele jeito, naquela ordem, com aquelas palavras.

Exemplos:

Merry Christmas and Happy New Year.

As palavras **merry** e **happy** têm o mesmo significado, mas por serem frases consagradas, todos respeitam a ordem e não a mudam.

Mais exemplos:

Você quer agradecer melhor, às vezes sente que só o **thank you** não é suficiente.

O que dizer?

Para ter uma opção a mais, use **Thank you for your time**.

Thank you for your time serve para você agradecer o tempo que a pessoa dispensou para ajudá-lo de alguma forma.

Fica um pouco estranho para nós "agradecer pelo tempo", mas é costume em inglês.

Comece a dizer **Thank you for your time** quando for o caso. Você verá a diferença na reação das pessoas.

Outro caso:

Você precisa dizer para alguém "Você não está me entendendo; você não está pegando o sentido do que estou falando".

O que você diria em inglês?

Resposta:

A frase habitualmente usada, a frase pronta é **You are missing the point** ou **that's not the point**.

Nas suas aulas de conversação, quando seu colega não pegar o sentido do que você está falando, diga: **Sorry, you are missing the point** ou **Sorry, that's not the point**.

Lição:

Tem que se respeitar o uso consagrado (**the usage**).

É esse uso que está na mente de todos.

Quando o professor pedir para você usar uma frase pronta, não o coloque numa situação delicada insistindo: "falei errado?" ou "se estou falando inglês vão me entender!".

Cabe ao aluno respeitar o uso consagrado. Aí, sim, é um treino verdadeiro para a conversação na vida real.

6. NO EVENTO CONVERSAÇÃO UMA PALAVRA É UMA FRASE

Sim, no evento conversação uma palavra é uma frase. Uma frase que vem resumida em uma palavra ou duas.

Exemplo: O motorista de táxi pergunta ao passageiro: **Where to?.** O passageiro sabe que significa **Where are you going to?**

Então, no lugar de dizer com maior número de palavras, a frase pronta diz com menos.

É importante esclarecer que a frase pronta não é a única maneira de dizer, mas é a maneira esperada por todos naquela situação.

Numa floricultura, você aponta para uma flor e pergunta **What do you call it?** (Como se chama esta flor?).

A resposta: **Daisy** (margarida).

Num zoológico, você pergunta **What do you call that?**

A resposta: **Hare** (lebre).

What do you call it? é a frase pronta para essa situação e ganha resposta instantânea.

No lugar de **What do you call it?,** você poderia dizer:

What is the word used to designate that flower?

Você poderia dizer essa frase, mas ela não é a frase normalmente esperada nessa situação.

Se fosse numa aula de botânica, aí sim, estaria tudo bem.

No lugar de dizer **Watch your step,** você poderia dizer:

Be careful because there is a hole right there (Cuidado porque há um buraco lá).

Poderia, mas não é a frase esperada naquele momento.

Se fosse uma informação antecipada, com tempo para pensar, nesse caso, estaria tudo bem.

Lição:

Não existem livros com o título "frases prontas".

Os títulos são "inglês situacional" ou "inglês de conversação" ou nomes parecidos.

Não há um nome para essa classe de palavras. Por isso, os professores costumam dizer “é assim que se fala” ou uma ideia parecida.

Decidimos, então, criar o nome “frases prontas”.

Achamos que fica mais didático dar um nome fácil e genérico.

E o nome que demos é “frase pronta”. Por quê?

Porque ela está pronta e é prontamente entendida numa conversação.

O nome “frases prontas” é uma criação nossa.

Em inglês sugerimos **standard phrases**.

Standard phrases retrata bem a ideia que queremos dar, ou seja, a “frase-padrão”, ou seja, a frase usada por todos.

7. FRASE PRONTA É SITUACIONAL I

Tente fazer uma lista de frases prontas em português; você não consegue.

Tente agora. Conseguiu? Claro que não. Por quê? Porque elas são situacionais.

Agora, tente fazer uma lista de frases prontas usadas, digamos, numa festa de aniversário. Quais são as frases prontas ouvidas numa festa de aniversário?

Agora sim, você consegue fazer uma lista. Agora, você tem a situação.

Por isso, quanto mais memorizar a situação, melhor será para aprender as frases prontas.

Portanto, não peça a ninguém uma lista de frases prontas em inglês sem antes especificar bem a situação. Ninguém vai conseguir fazer, nem o seu professor (da mesma forma que você não consegue em português).

Exemplo: Você precisa avisar alguém para ter cuidado onde vai pisar porque há um degrau ou um buraco. Você não tem tempo para explicações. Sendo assim, o que você diria?

A frase pronta em português é “olha o degrau” ou “cuidado com o degrau”.

Na hora H, você usa a frase que é de entendimento instantâneo. Você não elabora a frase; ela surge por instinto, por reflexo.

Então, em inglês, é **Watch your step** ou **Mind your step**.

Um aviso para ter cuidado para não bater a cabeça é **Watch your head** ou **Mind your head.**

Para avisar para ter cuidado com seus pertences é **Watch your belongings** ou **Mind your belongings**.

Para avisar para ter cuidado com o que fala é **Watch your mouth** ou **Mind your mouth** ou ainda **Watch your language** ou **Mind your language**.

Lição:

Vamos repetir. Na vida real todos têm pressa. Num evento de conversação ninguém tem tempo para adivinhar nada. Ninguém quer; ninguém gosta. Por isso, o entendimento instantâneo é tão bem-vindo por todos.

Quem tem paciência para adivinhar é a mãe e, talvez, o professor. Ou, ainda, quem está apaixonado, mas nesse caso dura só três meses!

8. FRASE PRONTA É SITUACIONAL II

Cada “frase pronta” tem sua situação.

Veja o caso da palavra “lugar”. Depende da situação.

Passe para o inglês as frases:

a) Em primeiro lugar.

b) Este lugar está ocupado?

c) Arrume um lugar para mim neste carro.

d) Que bom que você voltou. Aqui é o seu lugar (em termos de sentimento).

e) Este não é meu lugar (em termos de sentimento).

f) No seu lugar, eu não iria.

g) Coloque cada coisa no seu devido lugar.

h) Coloque isto de volta no seu devido lugar.

Respostas:

a) **In the first place.**

b) **Is this seat taken?**

c) **Make room for me in this car.**

d) **So good you came back. This is where you belong.**

e) **I don't belong here.**

f) **If I were you, I wouldn't go.**

g) **Put things away.**

h) **Put this away.**

Mais exemplos:

Se você quiser dizer "o que foi?" ou "o que é?" no sentido de "aconteceu algo?"

em inglês é **What?**

E se você quisesse dizer em inglês "pois não?".

Claro que você não deve traduzir as palavras e sim a ideia e achar uma frase equivalente.

O que você diria?

"Pois não?" é **Can I help you?** ou **What can I do for you?** ou **How can I help you?**

Se for “pois não!” (na afirmativa), é **absolutely** ou **of course**.

Lição:

Veja um fundamento: “toda a frase tem sua função na conversação. Se o aluno decorar apenas o significado, não encontra lugar para aquela frase na sua conversação. Portanto, é preciso entender a ‘intenção’ de cada frase. É isso que quem é fluente faz”.

Exemplo:

Ao chegar a uma festa de aniversário dizemos em português para o aniversariante: “parabéns”.

Em inglês não dizemos “parabéns” nesta situação.

Em inglês é **happy birthday,** se for aniversário de nascimento.

E se for aniversário de casamento é **happy anniversary**.

9. FRASE PRONTA É SITUACIONAL III

A grande vantagem de uma frase pronta é que ela é repetida em situações parecidas sempre. Numa situação semelhante ela estará lá. Por isso, é situacional.

Ainda bem: imagine que inferno seria se cada um resolvesse inventar uma frase.

Exemplo:

Ao entrar numa loja você lembra que precisa comprar, digamos, canetas, mas não vê a seção de papelaria e resolve perguntar: “vocês vendem canetas aqui?” no sentido de “vocês trabalham com este artigo?”.

O que você diria em inglês?

Em inglês seria: **do you carry pens?**

A frase que traz de imediato a ideia ou a intenção é esta: **Do you carry pens?**

Se fosse sapatos (se a loja vende sapatos) a frase é **Do you carry shoes?**

Mais frases:

a) **Watch your step when you go into that store just across the street**. (Cuidado com o degrau ao entrar naquela loja do outro lado da rua).

b) **Have a seat and make yourself comfortable**. (Sente-se e fique à vontade).

c) **So far so good, so take your time**. (Até aqui tudo bem, então, fique à vontade).

d) **I don't belong here, I wish I did, but I'm homesick**. (Aqui não é meu lugar, bem que gostaria que fosse, mas estou com saudade de casa).

Mais "frases prontas", agora com o verbo **to take**.

a) **Do you take credit card?** (Você aceita cartão de crédito?)

b) **Take my word for it.** (Aceite a minha palavra. Acredite em mim).

c) **Do what it takes.** (Faça o que for preciso).

d) **It takes time to do this.** (Leva tempo para fazer isto).

e) **Take your time.** (Não tenha pressa. Fique à vontade. Leve o tempo que precisar).

f) **Is this chair taken?** (Esta cadeira está ocupada?).

g) **Take it or leave it.** (É pegar ou largar).

h) **I can't take this any longer.** (Não aguento mais isto, não suporto mais isto).

i) **Study before you take the test**. (Estude antes de prestar o exame).

Lição:

Repetimos: o título "frases prontas" é um nome novo (é uma criação nossa); por isso, não aparece esse nome em outros livros.

Os professores explicam as frases prontas assim: "é isso que se costuma dizer" ou em inglês: **usual phrases** ou **idioms** ou **phrases** ou outros nomes parecidos.

Os livros costumam trazer os títulos de "inglês de conversação" ou "inglês situacional" ou nomes semelhantes.

Não importa o nome: eles estão falando de uma coisa só: frases prontas ou **standard phrases**.

O mais importante é o leitor começar a enxergar as frases prontas dentro do inglês que ele sabe. Elas estão lá.

10. FRASE PRONTA É SITUACIONAL IV

Frases conhecidas podem adquirir novos significados.

Como você já sabe, mudou a situação, muda o significado.

Vamos ver uma frase simples: **I'm fine**.

Talvez você use **I'm fine** apenas como resposta para **How are you?**

Veja: quando as pessoas querem dizer "Tudo bem comigo" ou "Aqui está bom para mim" ou "Não preciso de mais nada", por exemplo, num restaurante, dizem **I'm fine.**

A partir de hoje, se você quiser dizer "Não preciso de mais nada, está tudo bem", em uma situação de alguém se oferecer para deixar você mais confortável, digamos, quando você visita um amigo, você pode dizer **I'm fine, thank you.**

Conclusão: aqui você está ampliando sua conversação com uma frase conhecida. Isso é o inglês de conversação, minha gente!

Passe a observar que uma pessoa fluente não usa muito mais palavras do que você. A diferença é o uso preciso das frases prontas. As frases prontas na hora correta e no lugar correto. É o entendimento instantâneo fazendo a diferença.

Exemplo: ao incluir **I take it** (aceito) no seu repertório, você melhorou sua conversação. Veja:

Se você quiser perguntar numa loja se aceitam cartão de crédito, o que dirá?

Do you take credit cards?

Yes, we take all major credit cards (Sim, aceitamos os cartões mais conhecidos, ou os principais).

Exemplos com **to take** no sentido de "aceitar":

I never take the first price offered.

I'll take her as my wife tomorrow.

Please, take my word for it.

Agora **it takes** no sentido de "é necessário", "é preciso".

It takes a lot of money to live in style (É necessário muito dinheiro para viver no luxo).

What does it take for one to have success in life? (O que é preciso para alguém ter sucesso na vida?).

I'll do what it takes (Farei o que for necessário).

Lição:

Você vai perceber que cada frase tem sua "intenção" na conversação.

Uma coisa é dizer **I won't buy it because it's expensive**. (Não vou comprar porque é caro. A ideia: é caro em todos os lugares, é uma coisa cara).

Outra coisa é dizer **I won't buy it because it's overpriced** (A ideia: é caro apenas aqui, exageraram no preço aqui).

Lembra do **happy birhday** e **happy anniversary**?

Lembra do **I'm coming** e **I'm going**?

11. POR QUE VOCÊ NÃO PERCEBE AS FRASES PRONTAS?

Uma pessoa pode estudar inglês por anos e nunca perceber as frases prontas. Por quê?

Porque sua mente está focada nas palavras isoladamente.

Quanto mais focar nas palavras isoladamente, mais cega ela vai ficar para as frases prontas. As frases prontas estão lá, na sua frente, mas não percebe.

Ela não percebe que as palavras em grupo, numa determinada combinação, formam frases com novos significados.

Exemplos: **That's it. Take your time**. **You've always been there for me** etc.

Não percebendo, sua conversação perde o entendimento instantâneo.

Exemplo:

Se quiser dizer, ao receber um convite, "bem que eu gostaria de ir, mas não posso" (a ideia é recusar de forma educada).

Em inglês é **I wish I could**.

Se, ao receber a visita de alguém e quiser dizer "há quanto tempo", com a ideia de "faz muito tempo que a gente não se vê", em inglês é **Long time no see**.

Ao não entender o que foi dito, e pedir para repetir com outras palavras, como seria?

Em inglês é **Would you rephrase it, please?**

Se tiver que dizer ”um minuto, estou quase acabando” ou “estou prestes a acabar”,

em inglês é **Just a minute I’m about to finish.**

Lição:

Vamos repetir:

seu inglês precisa causar o conforto do pronto-entendimento para quem ouve. Sem isso, pode ser recusado.

Você já sabe que na vida real todos têm pressa e ninguém quer adivinhar nada.

Todos querem o conforto do pronto-entendimento.

Em termos de ser aceito na conversação, este é o fundamento mais importante. Por isso, nossa insistência com o uso das frases prontas.

12. TESTE

Não é um teste de conhecimento: é simplesmente para ajudar a memorizar o que foi dado neste livro. Portanto, responda em inglês, baseado no contexto em que foi apresentado.

Qual é a frase pronta em inglês?

a) “Até aqui, tudo bem”.

b) “Você sempre esteve presente quando precisei”, no sentido de nunca me abandonou.

c) “Cuidado aí onde pisa” ou “olhe onde pisa”.

d) “Tem aula hoje?”

e) “É o seguinte” (para iniciar um assunto).

f) “Não tenha pressa, leve o tempo que precisar, fique à vontade”.

g) “Fique à vontade, sinta-se em sua casa”.

h) “Como você chama isto?” apontando para algo para saber o nome ou a palavra.

i) “Farei o que for preciso”.

j) “Tudo bem comigo, não preciso de mais nada” como resposta para alguém que quer lhe servir algo ou deixar você mais à vontade.

Respostas:

a) **So far so good.**

b) **You’ve always been there for me.**

c) **Watch your step** ou **mind your step.**

d) **Is there class today?**

e) **Tell you what** ou **You know what?**

f) **Take your time.**

g) **Make yourself comfortable** ou **feel at home.**

h) **What do you call it?**

i) **I’ll do what it takes.**

j) **I’m fine, thank you.**

13. PERGUNTAS SOBRE O EVENTO CONVERSAÇÃO

a) O que é uma frase pronta?

b) O que você sente ao usar uma frase pronta?

c) Como você pode ampliar seu repertório de frases prontas?

d) Qual inglês você deve levar para a conversação?

e) O que se espera de uma boa conversação?

f) Como transformar seu inglês em um inglês de conversação?

g) Você concorda que saber inglês é uma coisa e falar é outra?

h) Você concorda que traduzir palavra por palavra não funciona?

i) Você acha importante frequentar aulas de conversação?

j) Por que é tão difícil enxergar as frases prontas?

Respostas:

(As respostas não são técnicas; portanto, pode haver mais de uma resposta. A intenção é transformar o leitor em um militante da conversação.)

a) É uma frase normal, pré-montada e de uso consagrado. Sua função é o pronto-entendimento.

b) Conforto. O conforto do pronto entendimento. Conforto para quem diz e para quem ouve.

c) Prestando atenção ao inglês falado. O inglês como é falado. É lá que elas estão.

d) O inglês das frases prontas.

e) O entendimento instantâneo. O conforto do pronto-entendimento.

f) Inicialmente, com o uso de frases prontas e boa pronúncia. Depois, pensar em inglês.

g) Sim, porque na prática nem todos que sabem inglês conseguem falar em inglês.

h) Sim, porque não é o inglês que o outro entende.

i) Sim, conversação de resultados é uma coisa séria. Precisa de um bom professor.

j) Devido ao hábito de ver as palavras isoladamente. Então, você não percebe que as palavras em grupo, numa determinada combinação, formam frases prontas.

Exemplos: **Thank you for your time**. **Watch your step**. **What do you call it?.**

Não percebendo sua conversação, perde o entendimento instantâneo.

Capítulo 2

Desenvolver a habilidade

Aprender em quantidade. A quantidade dá sensação de ganho e progresso (é a sensação de mais e mais). Por isso, é natural querer mais palavras novas, mais expressões, mais lições.

Desenvolver a habilidade (qualidade). A habilidade requer determinação e exercício até chegar à perfeição. Habilidade é igual à qualidade. Não dá para medir. Logo, é difícil perceber o progresso.

Por isso, alguns alunos não querem praticar a conversação. Acham perda de tempo. Claro, lá na frente vão perceber que seu conhecimento de inglês melhora, mas o desempenho na conversação não. Seu inglês ficou passivo.

Nas aulas de conversação ouve-se "não estou aprendendo nada de novo". "Estou cansado de repetir e repetir". "Parece que não estou chegando a lugar nenhum". Acontece em qualquer aprendizagem. Vamos resolver esse impasse? É só mudar o foco para os resultados. Sua avaliação deve ser assim: "hoje consegui usar novas frases prontas". "Estou conseguindo pensar em inglês". "Meu inglês está vindo por reflexo". "Sinto que estou mais à vontade na hora de falar".

1. TEM CAFÉ?

E que tal dizer: "Hoje consegui usar o **there is** ao falar"?

There is (haver, existir)

É um verbo que todos aprendem logo no início, mas...

Mas, em geral, os alunos não usam o **there is** na conversação.

Sabem, mas não usam. Por quê?

Porque decidiram por conta própria usar **have a**.

Claro que não pode. Não existe esta frase em inglês com **have a**...

Então, como você perguntaria em inglês: "tem (há) reunião hoje?" e "tem (há) café?"

A resposta:

Is there a meeting today?

Is there coffee?

Outros exemplos:

How many days are there in a week?

How many people work in your departament?

Is there any message for me?

Lição:

Segundo os professores de conversação, o hábito de não usar o **there is** ao falar é o erro número um na conversação.

Sabe, mas não usa. Evidencia, assim, a falta de atenção ao falar. A conversação perde qualidade.

Então, mais atenção com esse verbo.

Use-o em todos os tempos: **there was, there will be, there has been, there can be.**

2. EXPRESSÃO IDIOMÁTICA

No início, é comum o aluno confundir frases prontas com expressões idiomáticas.

Vamos esclarecer: a expressão idiomática pode ter restrição no uso, ou seja, não é para qualquer hora ou lugar.

Veja as expressões idiomáticas em português como "é moleza" ou "nunca o vi mais gordo" ou "falando no diabo". Você as usa em qualquer hora e em qualquer lugar?

Não, claro que não. Sentimos quando podemos e quando não podemos. É questão de bom senso.

It's a piece of cake é uma expressão idiomática. Significa "é moleza".

Se você, numa determinada situação, estiver em dúvida se deve ou não usá-la, é aconselhável não usar.

No seu lugar, use a frase pronta **that's easy** ou uma outra frase com ideia semelhante,.

I don't know him from Adam é uma expressão idiomática. Significa "nunca o vi mais gordo".

Se você, por algum motivo, estiver em dúvida se deve ou não usá-la, é aconselhável não usar.

No seu lugar, use frases prontas como **I don't know him** ou **I've never heard of him** ou **I have no idea who he is** ou **I never met him**.

Speaking of devil é uma expressão idiomática. Significa "falando no diabo".

Veja o que aconteceu com um guia de turismo. Um dia, no Vaticano, falando com turistas entusiasticamente sobre o Papa, de repente ele vê o Papa e, tomado de surpresa, diz: "olha, gente, falando no diabo, veja quem vem vindo...". Perdeu sua licença para trabalhar dentro do Vaticano.

No lugar de **speaking of the devil** poderia ser **by the way** (a propósito, falando nisso).

Lição:

As palavras usadas numa expressão idiomática têm significados metafóricos. Não é o significado do dicionário. Por isso, não é tão fácil entender o momento correto do seu uso.

As expressões idiomáticas devem ser evitadas em ambientes formais por quem não mora no país, pois elas têm um conteúdo cultural que somente morando lá se poderá entender. Podemos facilmente ofender, vulgarizar, e até inverter o significado.

Vou citar um caso. Numa reunião em inglês, aqui em São Paulo, ao ver um diretor nervoso, a secretária soltou um **take it easy!** Ela não entendeu por que ele ficou ainda mais nervoso. Ao saber do fato, expliquei que não se diz **take it easy!** para um superior numa reunião formal. Da mesma forma que uma secretária não diria em português "vá com calma" ou "calma aí" numa situação assim. Questão de bom senso.

3. FRASES FEITAS (**STOCK PHRASES**)

Tecnicamente falando, não existem "frases feitas".

Qualquer frase, seja uma frase pronta, seja uma expressão idiomática, pode se transformar em uma "frase feita" dependendo da intenção da pessoa que a usa.

"Frase feita" tem conotação negativa. É a frase que a pessoa diz por dizer, apenas para preencher espaço. Usa as frases mais repetidas que não querem dizer nada ou têm duplo sentido.

Exemplo: se você disser **how interesting** (que interessante) sem vontade de se comunicar, diz apenas por dizer; dessa forma, então, é uma frase feita (**stock phrase**).

Agora, se você disser **how interesting** como intenção sincera, como um elogio verdadeiro, então é uma frase pronta (**standard phrase**).

Portanto, não dá para fazer uma lista de "frases feitas". Qualquer frase pode se tornar uma "frase feita", dependendo da intenção da pessoa.

Resumindo: "frase feita" tem conotação negativa. São frases ditas apenas para preencher espaço.

Exemplo: **Yes, I'll do what it takes**, **there is no problem**, **time is money** etc. podem tanto ser frases feitas como frases prontas, dependendo da intenção da pessoa.

Lição:

É difícil, à primeira vista, saber quando uma pessoa apenas diz por dizer.

Exemplo: "ele não se preparou e acabou fazendo um discurso de frases feitas".

Quem pode afirmar uma coisa assim?

Apenas quem conhece aquela pessoa muito bem. Quem não a conhece, não consegue fazer esta avaliação.

Neste sentido, anote:

Punch lines (frases de efeito).

Trite words (palavras surradas).

Pardon my French (desculpe minha linguagem). Aqui a pessoa vai usar palavras desagradáveis.

4. MEMORIZAR A INTENÇÃO DA FRASE I

Responda, considerando a intenção da frase:

a) Como você diz "sou eu" no caso de alguém perguntar, digamos, "quem é o próximo"?

b) Como você diz “desculpe, estou sem meu carro hoje”?

c) Como você diz “posso lhe pagar uma cerveja?” como convite?

d) Se alguém perguntar “é isso que você quer?” e você responde “é isso mesmo”. Como você diria “é isso mesmo”, no sentido de “está certo, é exatamente o que eu quero”?

e) Como você diz “Feliz Natal e Feliz Ano Novo”?

f) Como você diz “obrigado por sua atenção”, no sentido de agradecer o tempo que a pessoa dispensou a você?

g) Como você diria “você não está me entendendo”, no sentido de não pegar o sentido do que você está querendo dizer?

h) Como você diria “sim, farei o que for preciso” como promessa para alguém?

i) Como você diria “o que devo fazer com isto?”.

Respostas:

a) **It’s me**.

b) **Sorry, I don’t have my car today**.

c) **Can I buy you a beer?**

d) **That’s it**.

e) **Merry Christmas and Happy New Year.**

f) **Thank you for your time.**

g) **You are missing the point** ou **That’s not the point**.

h) **Yes, I’ll do what it takes.**

i) **What am I supposed to do with this?**

5. MEMORIZAR A INTENÇÃO DA FRASE II

Se você quisesse dizer em inglês “até aqui, tudo bem” ou “até agora, tudo bem”, o que você diria?

Tentaria traduzir palavra por palavra ou procuraria uma frase pronta?

Claro, procuraria uma frase pronta que é: **So far, so good**.

Se você quisesse dizer em inglês: "você sempre esteve presente" com a ideia de "você nunca me abandonou", "você sempre foi amigo de verdade", o que você diria?

A frase é **You've always been there for me**.

I'm grateful to you. You've always been there for me.

(Sou-lhe grato. Você sempre esteve presente, nunca me abandonou, foi amigo de verdade).

My family has always been there for me (Minha família nunca me abandonou).

The company I work for has always been there for me (A empresa para a qual trabalho nunca me abandonou).

As a friend, I'll try to be there when you need me (Como amigo, tentarei estar presente quando você precisar de mim).

I want an insurance company to be there when I need it (Quero uma seguradora que esteja presente quando eu precisar dela).

Be there when people need you. **Remember, a friend in need is a friend indeed** (Esteja presente quando as pessoas precisarem de você. Lembre-se, conhece-se um amigo na hora da necessidade).

6. MEMORIZAR A INTENÇÃO DA FRASE III

E a palavra **JUST**, que você ouve a toda hora?

Você conhece **just** no sentido de **only**, mas ela dá outros sentidos nas frases. Veja.

a) **Just** no sentido de "limite-se a fazer o que estou pedindo".

Exemplos:

Just close the door. (É só fechar a porta; é apenas isso que estou pedindo).

Just listen to me. (Limite-se a me ouvir).

Just go. (Vá. Faça isto).

b) **Just** no sentido de “é fácil”, “é simples”. Igual a **simply**.

Exemplos:

Across the street (Do outro lado da rua).

Just across the street (É fácil. É só atravessar a rua).

Pour water. (Despejar água).

Just pour water. (É fácil. É simplesmente despejar água).

c) **Just** no sentido de: “acabou” de fazer algo.

Exemplos:

He has just arrived (Ele acabou de chegar).

I've just got up (Acabei de me levantar).

I've just heard (Acabei de ouvir).

She has just left (Ela acabou de sair).

d) **Just** no sentido de “justo” (que faz justiça). Igual a **fair**.

Exemplos:

He is a just man (Ele é um homem justo).

He is a fair man (Ele é um homem justo).

That is not just (Isto não é justo).

That is not fair (Isto não é justo).

Em tempo:

A cidade de New York lançou em 2007 uma campanha de boas vindas aos turistas informando que a população está participando; por isso, a frase é **Just ask the locals** (“é fácil, é só perguntar à população da cidade”).

Lição:

Para quem usa as frases prontas fica fácil aprender vocabulário.

Veja: quem vai a Portugal se depara com palavras e expressões que não conhece. À primeira vista até parece outra língua, mas...

Mas, se você disser em Portugal "Não entendi. Por favor, poderia me explicar o sentido desta palavra?" você será entendido e a vida continuará leve e solta.

Desconhecer palavras e expressões não impede a comunicação para quem domina as frases prontas. O contrário é que é difícil: tentar falar com o vocabulário sem as frases prontas. Por isso, a conversação trava.

É assim também em inglês. Se você dominar as frases prontas, pode perguntar sobre qualquer coisa. Pode pedir esclarecimentos, pode pedir ajuda e, assim, sempre irá aprender palavras novas.

7. MEMORIZAR A INTENÇÃO DA FRASE IV

Veja o caso das frases com o verbo **to wonder**.

É um verbo que você ouve a toda hora. Não há como deixar de ouvi-lo.

Basicamente significa: "querer saber".

Veja em quantas frases ele aparece:

Gostaria de saber se...(**I wonder if**).

Estou aqui pensando com meus botões... (**I'm here wondering**).

Estou numa dúvida... (**I wonder**).

Eu quero saber se... (**I wonder if**).

O que você está aí "matutando", pensando? (**What are you wondering about?)**.

Ela está sempre querendo saber se... (**She's always wondering if...**).

Exemplos:

I'm wondering if it's going to rain or not.

I wonder if she is really good at spelling because there is a spelling bee next month.

Does he really love me? I wonder.

What are you wondering? Come on, we're in a hurry.

I have a problem. I wonder if you can help me.

She doesn't sound confident. It makes me wonder whether I should count on her or not.

A joke:

A guy in the restaurant: "I wonder if you serve crabs (caranguejos) **here".**

Waiter: "We serve anyone (qualquer um)**, sit down. What do you want to eat?".**

Vocabulary:

Spelling bee (Concurso de soletrar, muito comum nas escolas nos Estados Unidos).

She doesn't sound confident (Ela não parece confiante pela maneira de falar).

Whether I should trust her or not (Se eu deveria confiar nela ou não).

8. MEMORIZAR A INTENÇÃO DA FRASE V

Pedimos para não traduzir palavra por palavra. A tradução tem que ser da "ideia" ou da "intenção" do que você quer dizer.

Exemplo:

Você quer dizer “fique à vontade” no sentido de “não tenha pressa”. Você quer a frase “fique à vontade” com a ideia de “sem pressa” ou “leve o tempo que precisar”.

Em inglês é **Take your time**. A frase pronta em inglês com esta ideia é **take your time**. Pronto, com essa frase todos entendem a ideia que você quer transmitir.

Então, ao ouvir numa loja **take your time**, o atendente está sendo gentil com você, pois está dizendo: “fique à vontade, leve o tempo que precisar”.

Outro exemplo:

Numa situação em que não conseguiu entender a mensagem, como você pediria para a pessoa repetir de outra maneira (com outras palavras) o que foi dito?

I didn’t get what you said. Would you rephrase it, please?

(Não entendi o que você disse. Poderia repetir com outras palavras, por favor?)

Esta é a frase pronta que você deve usar: **Would you rephrase it, please?**, quando não entende a mensagem e pede para repetir com outras palavras (pedindo para simplificar ou para ser mais claro).

Agora, atenção: se você disser **would you repeat it, please**, a pessoa vai repetir exatamente o que disse antes, sem mudar uma palavra, só que dessa vez em voz alta, porque vai julgar que você não ouve bem (e não que não entendeu a mensagem). Pode parecer piada, mas não é. É a cultura dos ingleses.

Lição:

Na sua aula de conversação passe a dizer **would you rephrase it, please?**, quando não entender o que foi dito e pedir para reformular a frase.

Se você ainda tem alguma dúvida quanto à grande diferença que o uso de frases prontas fará na sua conversação, por favor, converse com quem tem experiência em falar inglês.

9. MEMORIZAR A INTENÇÃO DA FRASE VI

Ao ouvir uma frase pronta, decore principalmente a situação em que ela foi usada.

Exemplos:

Lembra do **happy birthday** e **happy anniversary**?

Lembra do **take your time** e **make yourself comfortable**?

Lembra do **I wish I were rich** e **I'd like to be rich**?

A primeira coisa que aprendemos na nossa língua materna são as frases prontas. Começamos e nunca mais paramos. Ainda hoje, diante de uma situação importante, escolhemos as melhores frases.

Sabemos por experiência que elas são a matéria-prima da conversação.

Para quem domina as frases prontas fica fácil aprender o vocabulário. Por isso, as crianças aprendem vocabulário com facilidade. Quando chegam à idade escolar conseguem conversar com o professor e, assim, o professor consegue ensinar vocabulário, gramática, a escrever e a ler.

Assim também ocorre com você em inglês.

Se você dominar as frases prontas, como **What do you call it?, Sorry, what's the meaning of the word you've just said?**, **Could you rephrase it, please?** etc. não terá problemas em aprender o vocabulário na prática.

Para quem usa bem as frases prontas, a aprendizagem de vocabulário nunca termina.

O contrário é que é difícil: tentar falar com o vocabulário sem as frases prontas.

Aí, trava.

A propósito, anote:

No offense (Sem querer ofender).

Would you elaborate on that, please? (Você poderia detalhar mais, por favor?).

Woud you care to enlighten me? (Por favor, poderia me esclarecer?).

10. TESTE

Não é um teste de conhecimento. É para ajudar a memorizar o que foi apresentado neste livro. Portanto, responda em inglês, baseado no contexto em que foi dado.

Qual é a frase pronta em inglês?

a) Sou eu! (resposta para perguntas como **who's the next?** ou outras parecidas).

b) "O que foi?" perguntando para alguém que vem falar com você com a ideia de "o que aconteceu?".

c) Obrigado por sua atenção (agradecendo pelo tempo que a pessoa dispensou).

d) Obrigado por sua atenção (agradecendo pela atenção).

e) Você não está me entendendo (você não está pegando o sentido da coisa).

f) Ele acabou de chegar.

g) Não entendi bem. Poderia repetir, por favor? (não entendi o recado).

h) Não ouvi. Poderia repetir, por favor? (não consegui ouvir o que você disse).

i) Aqui não é meu lugar (sentimento), mas bem que gostaria que fosse.

j) Estou aqui pensando (com meus botões) se devo ir ou não.

Respostas:

a) **It's me**.

b) **What?** (é só uma palavra: **what?**).

c) **Thank you for your time.**

d) **Thank you for your attention.**

e) **That's not the point** ou **You're missing the point.**

f) **He has just arrived.**

g) **I didn't get what you said. Could you rephrase it, please?**

h) **I couldn't hear what you said. Could you repeat it, please?**

i) **I don't belong here. I wish I did.**

j) **I'm wondering if I should go or not** ou **I'm wondering whether I should go or not.**

11. PERGUNTAS SOBRE O EVENTO CONVERSAÇÃO

a) Por que você nunca enxergou as frases prontas em inglês?

b) Quem viaja a um país de língua inglesa, o que ouve o tempo todo?

c) Por que os alunos questionam tanto o professor com "mas, não falei certo?".

d) Por que as expressões idiomáticas devem ser evitadas em situações formais?

e) Como você aprendeu a falar português?

f) Qual é o inglês que aparece na hora de falar?

g) Por que a nossa mente paralisa ao ouvir a primeira palavra desconhecida?

h) O que costuma travar sua conversação?

i) Por que as piadas fazem rir?

j) Nossa proposta foi ensinar os fundamentos da conversação de resultados. Estamos atingindo nosso objetivo?

Respostas:

(As respostas não são técnicas. A intenção é transformar o leitor em um militante da conversação.)

a) Porque você se acostumou a ver as palavras isoladamente. Então, não percebe que as palavras em grupo, numa determinada combinação, formam frases prontas.

Exemplos: **I wish I could**. **Do you carry shoes? I don't belong here**.

Não percebendo, perde todos os novos significados que elas querem transmitir.

b) Frases prontas. A toda hora. É presença vigorosa e ruidosa no inglês que você ouve.

c) Por não terem a consciência de que o professor está falando em termos de "frases prontas" ou do "uso consagrado (**the usage**)" e não de gramática.

d) Porque seu uso exige vivência cultural. Sem querer, você pode ofender ou vulgarizar, principalmente em ambientes formais. É uma questão de bom senso.

e) Ouvindo. Se alguém nasce com deficiência auditiva não consegue aprender a falar.

f) O inglês que você praticou até a perfeição.

g) Porque ela não foi treinada para entender a mensagem principal (**the gist**).

h) É alguma falha nestes itens:

— uso de frases prontas;

— pronúncia;

— não entender o que ouve (**listening**).

i) Porque há uma mudança súbita no significado consagrado. É isso que causa o riso.

j) A resposta é pessoal, mas esperamos que sim.

12. TESTE

Não é um teste de conhecimento. É para ajudar a memorizar o que foi dado neste livro. Portanto, responda em inglês, baseado no contexto em que foi apresentado.

a) Se você quiser dizer "o que foi?" perguntando para alguém que vem falar com você,

o que você diria em inglês?

b) Se quiser dizer, ao receber um convite, "bem que eu gostaria, mas não posso".

c) Ao receber a visita de alguém e desejar dizer "há quanto tempo", com a ideia de "faz muito tempo que a gente não se vê".

d) Ao não entender o que foi dito e tiver que pedir para repetir com outras palavras.

e) Se tiver que dizer "um minuto, estou quase acabando".

f) Se você quisesse dizer em inglês "pois não"?

g) Se você quisesse dizer "vale a pena ler este livro", como diria?

h) Como você diria "ela não minha irmã. Gostaria que fosse"?

i) Como você diria "tem aula hoje?".

j) Como você diria "você nunca me abandonou, sempre esteve presente quando precisei"?

Respostas:

a) **What?**

b) **I wish I could.**

c) **Long time no see.**

d) **Would you rephrase it, please?**

e) **Just a minute. I'm about to finish.**

f) "Pois não?" (pergunta) **Can I help you?** ou **What can I do for you?** ou **How can I help you?.**

Se for "pois não!" (resposta), é **absolutely** ou **of course**.

g) **It's worth reading this book.**

h) **She isn't my sister. I wish she were.**

i) **Is there class today.**

j) **You've always been there for me**.

13. TESTE

Não é um teste de conhecimento. É um teste para ajudar a memorizar o que foi dado neste livro. Portanto, responda em inglês baseado no contexto em que foi apresentado.

a) Como você diria em inglês "obrigado e fico agradecido"?

b) E como você diria "não consigo entender o que está acontecendo, não consigo ver o motivo"?

c) "Coloque isto de volta no seu devido lugar".

d) "Arrume um lugar para mim neste carro".

e) "O que foi tudo isto? O que aconteceu?".

f) "Não me atrapalhe".

g) "Vale a pena ir".

h) "Pois não, claro, sem dúvida".

i) **Shall we go?** O que significa?

j) "Desculpe, não consigo parar de rir (não consigo evitar)".

Respostas:

a) **Thank you. I appreciate it**.

b) **I can't figure it out**.

c) **Put this away**.

d) **Make room for me in this car**.

e) **What was that all about?.**

f) **Get out of my way.**

g) **It's worth going.**

h) **Absolutely.**

i) "Vamos?" (como uma sugestão ou um convite).

j) **Sorry, I can't help laughing.**

14. FRASES PARA O PRIMEIRO MINUTO

Invista "no primeiro minuto" de sua conversação.

O futuro de uma conversação depende do primeiro minuto.

Em ambientes formais e de negócios existe um protocolo inicial a seguir.

Muitos acham que basta ser simpático. Sim, é importante agradar, mas nesses ambientes não se abre mão do protocolo.

Insistimos: é protocolo inicial. Existem frases prontas para esse protocolo.

Exemplo: sempre dizer o nome completo e de onde você veio e outras informações dependendo da situação.

Vá observando e faça você mesmo uma lista das frases que vai precisar. A melhor lista é aquela que você próprio faz. Aos poucos, com calma. Assim, não tem erro, você nunca esquece.

Portanto, você tem uma tarefa para o resto da vida: procurar as frases prontas para "o primeiro minuto".

Veja: você nunca ficará indiferente ao primeiro minuto e a qualquer tipo de abordagem.

É esta atenção que faz de você um militante da conversação.

Nem precisaria dizer, mas observar é uma aprendizagem inesgotável.

15. MENSAGEM DE CONSCIENTIZAÇÃO

PRATICAR ATÉ A PERFEIÇÃO (DECORAR E REPETIR)

Os bons professores de inglês dizem que os alunos são travados por que eles "pensam demais", por que eles "estudam inglês como estudam matemática". Não se soltam na hora de falar. Enfim, é muita cabeça e pouco reflexo.

Falando de reflexo, Pelé diz em seus depoimentos que ficava após os treinos repetindo e repetindo até a perfeição os chutes com os dois pés, cabecear de olhos abertos etc.

Oscar, nosso grande ídolo do basquete, conta que ficava após o treino repetindo arremessos. Repetindo até a perfeição.

Sendo direto: ninguém chega à perfeição sem decorar e repetir. Nas artes, nos esportes, nas ciências. Quantos cientistas ficam nos seus laboratórios em cima de um experimento, repetindo e repetindo?

O problema está nas palavras "decorar" e "repetir". Ficaram desgastadas e feias e, então, as pessoas as evitam. Ficaram parecidas com "decoreba".

Assim, preferem dizer que são "dedicadas", que "memorizam", que "exercitam", que "automatizam" e daí por diante. Enfim, fazem exatamente a mesma coisa: decoram e repetem. Gente: não importa a palavra; importa o ato consciente!

Claro, fazer sem consciência é "decoreba" (**parrot fashion**) e não funciona mesmo. Mas, nem de longe é o que propomos aqui. Todo nosso esforço vai para os fundamentos e conscientização. O leitor não dá um passo sem saber o motivo e a finalidade.

Agora, cá entre nós, apenas a consciência não funciona. Apenas saber não funciona. Por isso, o leitor desanima ao perceber que seu conhecimento de inglês melhora, mas o desempenho na conversação não.

Queremos que o leitor faça com seu inglês o que o Pelé e o Oscar fizeram nos seus treinamentos. Enfim, ser craque é fazer naturalmente e com graça, não é? E como se chega a isso? Apenas sabendo?

Não, repetindo. Vá em frente, praticando até a perfeição. É para o seu bem. É para destravar o seu inglês. Por isso, **practice makes perfect**.

Capítulo 3

Cada frase tem a sua função na conversação

Neste capítulo vamos apresentar uma lista de palavras e frases que os alunos em geral não usam na sua conversação. Sabem, mas não usam. Talvez pelo hábito de memorizar só os significados. Sim, o hábito de memorizar só o significado impede o uso de palavras e frases como essas. Elas não encontram seu lugar no inglês do aluno só com o significado. Ficam de fora. Resultado: a conversação fica deficiente.

Não há nenhuma classificação especial para essas frases ou palavras. Elas estão aqui pelo motivo explicado acima: são essências para sua conversação. Pratique-as até a perfeição. Por isso, começamos com "exercício para ativar sua memória instintiva".

1. EXERCÍCIO PARA SUA MEMÓRIA INSTINTIVA

Uma pergunta que todos fazem: "o que fazer para não esquecer meu inglês?".

Vamos convidá-lo para um exercício simples. Muito simples.

É assim: tudo que você diz e ouve em português no seu dia a dia imediatamente passa para o inglês. Oralmente.

Atenção: não é traduzir palavra por palavra. Por favor, não.

O espírito do exercício é traduzir a "ideia" ou "a intenção" da frase. Claro, usando frases prontas.

A finalidade é exatamente o uso de frases prontas, para que elas se tornem instintivas.

Então, o que você ouviu ou falou em português, será dito em inglês assim que puder. Como é um exercício mental, leva poucos segundos. É como se você fosse um intérprete de si mesmo. Porém, sem o mesmo rigor de um estudo. Com o espírito de "ensaiar para não esquecer". É gostoso, é descompromissado, mas como funciona!

Este exercício, se feito com vontade, é tiro e queda. Não falha. Funciona maravilhosamente. Pode ser até que você já faça isso por conta própria. Continue.

2. **I APPRECIATE IT**

Quer melhorar ainda mais seus agradecimentos?

Então, passe a usar **I appreciate it**.

I appreciate it significa "agradeço", "fico agradecido".

É muito comum vir junto com **Thank you**.

Assim: **Thank you, I appreciate it** (Obrigado, fico-lhe agradecido).

Incorpore a frase **Thank you, I appreciate that** na sua conversação e verá a diferença no tratamento.

Comece a prestar atenção e verá como é frequente, muito frequente, as pessoas falarem **Thank you, I appreciate it (that).**

Nota 1

Isso acontece porque **appreciate** é sempre **I appreciate it** ou **I appreciate that** (sempre **it** ou **that,** nunca uma pessoa).

Quando é pessoa, se usa **to thank someone**, como **thank you**.

Por isso, costuma-se usar em conjunto: **Thank you, I appreciate it**.

Nota 2

O que pode ser é **I'd appreciate if you helped me** (Agradeceria se você me ajudasse).

Nota 3

To appreciate tem outros significados em inglês. Aqui estamos trabalhando apenas com o significado de "agradecer".

3. **TO TRY TO FIGURE OUT**

To try to figure out significa "tentar resolver um problema, tentar entender um problema, tentar descobrir a solução".

Nem é preciso dizer quantas vezes você vai usar essa frase.

Exemplos:

a) **I can't figure it out** (Não consigo entender, não vejo o motivo).

b) **That's what I'm trying to figure out** (É isto que estou tentando entender, estou tentando descobrir).

c) **How am I supposed to make this machine work? There are no instructions.**

You'll have to figure it out. Start pushing the buttons (Como devo fazer esta máquina funcionar? Não há instruções. Você terá que descobrir. Comece apertando os botões).

Vamos repetir este fundamento: “toda a frase tem sua função na conversação. Se o aluno decorar só o significado, ele não encontra lugar para aquela frase na sua conversação. Portanto, é preciso entender a ’intenção’ de cada frase. É isso que quem é fluente faz”. Exemplos: **To try to figure it out**. **Thank you, I appreciate it.**

4. SHE IS ABOUT TO ARRIVE

She is about to arrive significa “ela está prestes a chegar” ou “ela está quase chegando”.

Exemplos:

Estas frases significam “prestes a”, “quase para acontecer”.

a) **The food we are about to eat is Asian** (A comida que estamos prestes a comer é asiática).

b) **He is about to get married** (Ele está prestes a se casar).

c) **She is about to arrive** (Ela está quase chegando, ela está prestes a chegar).

d) **He doesn’t know he is about to get a promotion** (Ele não sabe que está prestes a receber uma promoção, está quase recebendo um promoção).

5. WHAT WAS THAT ALL ABOUT?

Apresentamos uma outra frase pronta: **What was that all about?**

O que significa?

Significa: “O que foi aquilo?”, “O que houve?”, “O que aconteceu?”.

É uma forma mais genérica do que **what was the matter?**, **what happened?**

Você ouve a toda hora. Comece a usá-la na sua conversação.

Exemplos:

a) Boss: **You applied for this job. You said you needed money badly. Now you call in sick every week. What's that all about?**

b) Nanny: **You guys are fighting over an old torn sweat shirt. Is this about the shirt or is this about you being jealous of each other? Now you tell me, what's this all about?**

Vocabulary:

What is the matter? (O que está havendo? O que está acontecendo?).

You applied for this job (Você se candidatou a este emprego).

You said you needed money badly (Você disse que precisava muito de dinheiro).

Now you call in sick (Você telefona para avisar que está doente e não irá trabalhar).

Nanny (Babá de criança).

You guys are fighting over (Vocês estão brigando por).

An old torn sweat shirt (Uma camisa grossa, velha e rasgada, de ginástica ou "moleton").

Be jealous of each other (Ter ciúme um do outro).

Nota:

Veja o uso do **badly** nestes casos:

I need money badly (Preciso muito de dinheiro; preciso de dinheiro desesperadamente).

I love you badly (eu amo muito você; amo você desesperadamente).

Nota:

Nanny em geral é uma profissional, diferente de **baby minder** (britânico) ou **baby sitter** (norte-americano) que, em geral, são vizinhos que cuidam de crianças por algumas horas.

6. TO BE IN THE WAY, TO GET IN THE WAY OF

To be in the way: significa "atrapalhar, ficar no meio do caminho de alguém".

Exemplos:

You are in the way significa "Você está atrapalhando".

You are in my way significa "Você está me atrapalhando".

You are in everybody's way significa "Você está atrapalhando todo mundo".

This holiday got in the way of my profits significa "Este feriado atrapalhou meus lucros".

I'm sorry, but I can't talk right now. You're in my way. I have errands to run significa "Sinto, mas não posso falar agora. Você está me atrapalhando. Tenho coisas para fazer".

Get out of my way significa "Não me atrapalhe".

Know when to get out of the way significa "Saiba quando não atrapalhar".

Don't let your ego get in the way significa "Não deixe seu ego atrapalhar você".

7. TO BE WORTH DOING

To be worth doing something significa "valer a pena fazer algo".

Exemplos:

I think it's worth driving all the way to Maine just to wish her Happy Birthday.

I know we can do that over the phone, but this time I need to see her, to be with her.

Is it really worth starving yourself to death like this just to drop a few pounds?

You paid U$300, for these shoes? I'm sorry, I don't think these shoes are worth all that money.

Frases:

It's worth seeing (Vale a pena ver, compensa ver).

It's worth the price (Vale o preço, compensa o preço).

It's not worth it" (Não vale isso, não vale a pena).

It's worth a lot more than that (Vale muito mais que isso).

It's worth far more than that (Vale muito mais que isso).

An ounce of prevention is worth a pound of cure (É melhor prevenir do que remediar).

A bird in the hand is worth two in the bush (Mais vale um pássaro na mão do que dois voando).

Worthwhile significa "compensa o sacrifício de".

Exemplo:

Some people go a long way to eat in that restaurant and I never understood why. Now that I went there I can say it is worthwhile.

A joke:

Why do divorces cost so much?

They are worth it.

Vocabulary:

To starve yourself to death (Morrer de fome, passar fome).

Just to drop a few pounds (Só para emagrecer poucas libras no peso).

8. **I WISH I COULD**

I wish I could significa tudo isto:

"Bem que eu gostaria",

"Seria bom se eu pudesse",

"Gostaria que fosse possível para mim",

"Quem me dera eu pudesse".

O importante é lembrar a ideia da frase e não somente sua tradução.

I wish I could transmite a ideia de um "desejo impossível" ou de "infelizmente não dá".

Eis uma frase indispensável na sua conversação. Preste atenção e verá o quanto é importante usá-la bem. É uma frase que dá um toque de classe ao seu inglês.

Exemplos:

Are you rich? I wish I were (Você é rico? Seria bom se eu fosse).

Do you have a brother? I wish I had (Você tem irmão? Bem que eu gostaria).

Can you speak Spanish? I wish I could (Você sabe falar espanhol? Bem que gostaria).

Outros exemplos:

I wish I could change the situation, but I can't, unfortunately (Bem que gostaria de mudar a situação, mas não posso, infelizmente).

I wish I were you. I would take all the chances you took for granted (Quem me dera eu fosse você. Aproveitaria todas as chances que você desprezou).

I wish I had a million dollars to fix all the financial problems my family has right now (Seria bom se eu tivesse um milhão de dólares para resolver todos os problemas financeiros que minha família tem agora).

Lição 1

É uma maneira educada de recusar, pois, ao mesmo tempo em que você diz não, deixa claro que, se pudesse, gostaria de aceitar o convite.

Exemplos:

Would you like to go with me? I wish I could (Você gostaria de ir comigo? Bem que gostaria).

Is she your mother? I wish she were (Ela é sua mãe? Desejaria que fosse).

Lição 2

Quando você for dizer "gostaria, mas não posso", indicando uma impossibilidade, a frase deve ser **I wish I could**.

Lição 3

Por que é tão difícil (para muitos alunos) usar as frases prontas em inglês, como este caso de **I wish I could**?

Devido ao hábito de traduzir palavra por palavra, ou seja, enxergar as palavras isoladamente e não em grupo.

Exemplos: **To be in the way**. **To be worth doing**. **I wish she were my wife** etc.

9. **TO FEEL LIKE DOING**

To feel like significa "estou com vontade de" ou "estou a fim de".

Exemplos:

a) **I don't feel like working today. I feel more like going to the beach** (Não estou com vontade de trabalhar hoje. Estou com vontade de ir à praia).

b) **What do you feel like doing today?** (O que você está com vontade de fazer hoje?).

c) **I feel like staying home, so you go with them** (Estou com vontade de ficar em casa, então você vai com eles).

d) **I feel like coffee, not beer** (Estou com vontade de café, não de cerveja).

e) **I feel like pizza, too. So, order a large one** (Quero pizza também. Então, peça uma grande).

Também se usa: **To be in the mood for** (Estar disposto a, estar com humor para, estar a fim de, estar com vontade de).

Exemplos:

a) **I'm in the mood for barbecue today** (Estou a fim de churrasco hoje).

b) **Shall we have Chinese food?** (Vamos comer comida chinesa?).

   Well, I'm in the mood for pasta and wine (Bem, estou com vontade de massas e vinho).

c) **I'm in the mood for dancing all night long** (Estou a fim de dançar a noite toda).

10. **LET ALONE**

Let alone (Nem pensar, muito menos, sem dizer, imagine).

Exemplos:

a) **You can't even take care of your own family, let alone help her** (Você não tem condições nem de cuidar da sua própia família, muito menos ajudá-la).

b) **He's not capable of leading the band, let alone playing (going) solo** (Ele não é capaz de levar a banda, muito menos fazer carreira solo).

c) **We can't even deliver 200 boxes of our product, let alone accept a demand for 2000!** (Não podemos nem entregar 200 caixas do nosso produto, nem pensar em aceitar um pedido de 2000!).

11. WHAT IS SHE LIKE?

Se precisar descrever uma pessoa ou uma coisa ("como é sua mãe" ou "como é a casa"), como seria em inglês?

Em inglês usa-se **what... like?**

Exemplos:

a) **What is she like?**

She is tall, white skin, black and curly hair, skinny, sweet and lovely

(Ela é alta, branca, cabelo preto encaracolado, bem magra, simpática e amável).

b) **What is this restaurant like?**

It's a large place with fast service and great food at an affordable price

(É um lugar grande com rápido atendimento, boa comida a um preço acessível).

c) **So, you're picking me up tonight. What is your car like?**

It's a small V.W. red color (É um V.W. pequeno de cor vermelha).

d) **I'm wondering. What is our new boss like?**

He is young, about 35 years old, short and very friendly

(Ele é jovem, mais ou menos 35 anos, baixo e muito simpático).

e) **What's the weather like today?**

It's sunny. (Está ensolarado).

Lição:

Então, se você perguntar **How is your mother?**

A pessoa vai responder **She is fine, thank you.**

Se você perguntar **What is you mother like?**

A pessoa vai responder **She is short, blonde hair.**

Se você perguntar **How is your house?**

A pessoa vai responder **It is in perfect condition.**

Se você perguntar **What is your house like?**

A pessoa vai responder **It is small, with a front lawn.**

Vocabulary:

So, you're picking me up tonight (Então, você vai me pegar hoje à noite).

Blonde hair (Loiro ou loira).

Front lawn (Gramado na parte da frente da casa).

You look terrific (Você está bonita, você está fantástica).

A palavra **terrific** tem conotação positiva e é igual a **great**, **very good**, **excellent, amazing, beautiful.**

12. **IT DOESN'T APPEAL TO ME**

It doesn't appeal to me significa "não me agrada", "não me atrai", "não me interessa".

It appeals to me significa “me agrada”, “me atrai”, “me interessa”.

Exemplos:

a) **This book you are reading is intended to appeal to people like you, who want to improve their English.**

b) **Barbecue? I’m not a meat eater. It doesn’t appeal to me.**

c) **I’ve never watched horror movies. The genre doesn’t appeal to me.**

d) **The idea of going fishing doesn’t appeal to me. I’d rather go for a hike.**

Vocabulary:

Barbecue (Churrasco).

Genre (O gênero, o estilo).

I’d rather go for a hike (Prefiro fazer uma caminhada).

13. CAN’T HELP

Can’t help significa: “não posso evitar”, “não posso controlar”, “não posso parar de”.

Exemplos.

a) **Why are you crying?**

   I just chopped onions, I can’t help it.

   (Por que você está chorando? Acabei de picar cebolas e não consigo parar de chorar).

b) **I can’t help laughing at her jokes, they are so funny.**

   (Não consigo evitar de rir das piadas dela, são tão engraçadas).

c) **The child is incredibly afraid of big dogs, just looking at one makes him cry. He can’t help it.**

(A criança tem medo incrível de cães grandes, e apenas de olhar um ela chora. Ela não consegue se controlar).

d) **I can't help thinking about that poor little girl we met at the hospital. I hope she is OK now.**

(Não consigo parar de pensar naquela pobre garotinha que conhecemos no hospital. Espero que ela esteja bem agora).

14. **THOUGH**

A palavra **though**, colocada no fim de uma frase, é igual a **but** (mas).

Exemplo:

She works with me. She doesn't like me "though".

Atenção: a palavra **though** significa **but** se estiver no fim da frase (repetindo: no fim da frase). Não estando no fim da frase ela significa "apesar de".

É totalmente estranho para nós este uso da palavra **though** no fim da frase com o significado de "mas", mas é muito comum na língua inglesa.

Portanto, merece sua atenção.

Raramente ouvimos os alunos usarem essa palavra neste sentido, talvez por causa de sua colocação no fim da frase.

Por favor, comece a usá-la para se acostumar com ela.

Exemplos:

a) **I can't stay any more. I'll drive you to the mall, though.**

(Não posso ficar mais tempo, mas levarei você de carro ao shopping).

b) **I'll lend you the money. Don't forget I need it back by the 13th, though.**

(Emprestarei o dinheiro, mas não se esqueça de que precisarei voltar, no mais tardar, no dia 13).

c) **You can go out. Do your homework first, though**

(Você pode sair, mas primeiro faça a lição).

d) **It's my favorite mall. It's far, though**

(É o meu shopping preferido, mas é longe).

15. **ALL THE WAY**

All the way significa "todo o caminho", "até o fim", "completamente", "de fato".

Exemplos:

The baby crawled all the way to the back yard and nobody noticed.

(O bebê engatinhou até o quintal — todo o caminho até o quintal — e ninguém notou).

All the way aparece em momentos estranhos para nós. Então, é preciso acostumar-se com seu uso.

Exemplos:

Você quer dizer "abra bem a boca" ou "abra bem a porta".

Podemos dizer **open your mouth all the way**?

Sim, porque "bem" neste caso é "completamente", "até o fim"; então **open your mouth all the way** ou **open the door all the way**,

Mais exemplos:

a) **How far are we going with these grammar execises?**

All the way.

What? Are you nuts? There are more than 100 pages to go.

So, we'll take one step a time, and eventually we'll get to the end.

b) **How far did you go in school?**

All the way.

After graduating from college, I pursued my Master's and Doctorate degrees.

c) **The new manager came all the way from Paris, France to run this department for the next 3 years.**

d) **You have to read this manual all the way in order to learn how to handle the new machine.**

I already read the first 10 pages, I believe that's enough.

Really? What should we do in case it stops working?

I have no idea. That's why you have to read the manual all the way.

Vocabulary:

Are you nuts? (Você está doido?).

We'll take one step a time (Daremos um passo por vez).

And eventually we'll get to the end (E finalmente chegaremos ao fim).

I pursued my Master's and Doctorate degrees (Continuei o estudo até conseguir o Mestrado e o Doutorado).

To run this department (Dirigir este departamento).

To handle the new machine (Manejar esta nova máquina).

That's why (Por isso).

Nota: **To pursue** significa seguir ou prosseguir até conseguir. No caso **I pursued my Master's and Doctorate degrees** a ideia é de continuar o estudo até se conseguir o que deseja.

16. FRASES PARA PEDIR ESCLARECIMENTOS

Invista em "pedidos de esclarecimentos". No meio de qualquer conversação, você vai precisar muito pedir que esclareçam pontos que não entendeu.

Frases como **I don´t see the point**, **Could you elaborate on that, please**, **Would you rephrase it, please?**, **Come again?**, **Would you care to enlighten me?** etc.

Faça uma lista para as situações em que você vai precisar desse "pedido".

A melhor lista é aquela que você mesmo elabora. Dessa forma, você nunca esquece.

Você tem mais uma tarefa: procurar as frases prontas para pedir esclarecimentos. É essa procura que irá fazê-lo ser um militante da conversação.

Depois, pratique-as até a perfeição. Importante: ao dizer, não pode parecer queixa e sim um pedido.

17. TESTE

Não é um teste de conhecimento. É para ajudar a memorizar o que foi dado neste livro. Portanto, responda em inglês baseado no contexto em que foi apresentado.

Como você diria em inglês...

a) É isto que estou tentando entender, estou tentando descobrir (diante de um problema).

b) Ela está prestes a chegar, está quase chegando.

c) Você está me atrapalhando.

d) É um filme que vale a pena ver.

e) Se sou rico? Seria bom que eu fosse, bem que gostaria de ser.

f) Não estou com vontade de trabalhar hoje.

g) Não posso nem cuidar de mim, muito menos casar.

h) Como ele é? Ele é alto, jovem e simpático.

i) Peixe não me agrada. Prefiro frango.

j) Desculpe, tenho medo voar. Não consigo evitar.

Respostas:

a) **That's what I'm trying to figure out.**

b) **She is about to arrive.**

c) **You are in my way.**

d) **It's a movie worth seeing.**

e) **If I'm rich? I wish I were.**

f) **I don't feel like working today.**

g) **I can't even support myself, let alone get married.**

h) **What's he like? He is tall, young and friendly (likeable).**

i) **Fish doesn't appeal to me. I'd rather have chicken.**

j) **Sorry, I'm afraid of flying. I can't help it.**

18. TESTE

Responda em inglês:

a) **Would you mind if I sat next to you?**

b) **Would you mind opening the door for me?**

c) **Would you mind if I called you Bob?**

d) **Would you mind if I took this chair?**

e) **Would you mind if your mother-in-law stayed with you?**

Respostas (nossas respostas são sugestões):

a) **No, not all**.

(Você se incomodaria se eu sentasse perto de você?). (Não, de jeito nenhum).

b) **Of course not, here you go, it's open**.

(Você se incomodaria de abrir a porta para mim?). (Claro que não. Aqui está. Está aberta).

c) **No, I wouldn't**.

(Você se incomodaria se eu chamasse você de Bob?). (Não, não me incomodaria).

d) **No, please, go ahead.**

(Você se incomodaria se eu pegasse essa cadeira?). (Não, por favor, vá em frente).

e) **Yes, I would.**

(Você se incomodaria se sua sogra ficasse na sua casa?). (Sim, eu me incomodaria).

Capítulo 4

O evento conversação

Ser um "militante da conversação" é atuar diretamente no evento conversação. Sim, no evento conversação. É onde tudo acontece. É lá o domínio do inglês falado. Enfim, da comunicação oral. Lá não é apenas o seu inglês; é principalmente o inglês dos outros.

Percebeu? Conversação é mais que simplesmente falar ou responder. A verdadeira aula de conversação tem que simular o evento conversação: passar o conforto do pronto entendimento, saber perguntar, saber pedir esclarecimentos, saber abordar e respeitar os protocolos. Enfim, comunicar-se com o outro. Neste capítulo vamos continuar apresentando frases e palavras essenciais para sua conversação.

1. MAIS OU MENOS?

"Mais ou menos" em inglês é **more or less**.

Há outras formas de dizer "mais ou menos" em inglês.

Na prática, há uma preferência por outras formas que vamos ver. Por isso, não se ouve tanto **more or less** em inglês como se ouve "mais ou menos" em português.

Para dizer "mais ou menos" no sentido de "um pouco", "nem tanto" etc., usa-se:

A) Numa conversação informal é **kind of** ou **sort of**.

Are you hungry? Yes, kind of.

(Você está com fome? Sim, mais ou menos).

Does she like it here? Sort of.

(Ela gosta daqui? Mais ou menos).

It's kind of cold in September.

(É mais ou menos frio em setembro).

Well, it was sort of embarrassing to be invited on such short notice.

(Bem, foi mais ou menos constrangedor ser convidado em cima da hora).

Nota. As palavras **kind of** e **sort of** também significam "tipo de" ou "espécie de".

B) Numa conversação formal: **rather**.

I'm rather hungry.

She rather likes it here.

It's rather cold in September.

It was rather embarrassing to be invited on such short notice.

C) Quando se referem à “quantidade” ou “quantia” preferem **about**.

How much do you intend to spend on the meal? About 10 reais.

(Quanto você pretende gastar com a refeição? Mais ou menos 10 reais).

How many people are there in your department? About 50 people.

(Quantas pessoas há no seu departamento? Mais ou menos 50 pessoas).

Naturalmente que você não precisa traduzir as frases acima sempre como “mais ou menos”. Pode usar outras palavras que traduzem a mesma ideia como “um pouco”, “nem tanto”, “aproximadamente” etc.

2. WHAT’S THAT SUPPOSED TO MEAN?

What’s that supposed to mean? significa “O que significa isto?” “O que você (ele) quer dizer com isto?”.

Exemplos:

She said “I’ll see you when I see you”. What’s that supposed to mean?

I guess it means she’ll see me when she can, in other words, she doesn’t want to set up a specific date.

You are supposed to let me know when you have people over.

What’s that supposed to mean? I can’t have friends in my own apartment?

What’s that supposed to mean? é uma frase usada quando há uma dúvida ou algo confuso na conversa e você pede um esclarecimento.

Vocabulary:

To set up a specific date (Marcar uma data específica).

When you have people over (Quando você traz pessoas para casa).

3. **SHALL WE?**

Pedimos um carinho especial para esta questão que vamos tratar.

É um ponto que vai enriquecer sua conversação com um toque de classe.

Em português, quando você sugere um convite, usamos "vamos?" em forma de pergunta. Exemplos:

Vamos tomar um café?

Vamos de carro hoje só para variar?

Como se diz em inglês "vamos tomar um café?" com a ideia de convidar ou sugerir?

Antes de responder, vamos considerar um ponto muito importante. Em inglês não se usa **let's** na pergunta. Repetindo, não se usa **let's** na pergunta.

O **let's** apenas é usado na afirmativa, na resposta.

Repetindo: **let's** apenas é usado numa frase afirmativa.

Então, como fica "vamos tomar um café?"

São três opções em inglês (com a intenção de convidar, com a intenção de sugerir):

a) **How about?** (Que tal?).

How about some coffee? Yes, let's go.

How about driving today just for a change? Good idea. Let's go.

b) **Why don't we?** (Por que não...?).

Why don't we have some coffee? Good suggestion. Let's go.

Why don't we drive today just for a change? Yes, I like the idea. Let's go.

c) **Shall we?** (Vamos?).

Shall we have some coffee? Yes, let's.

Shall we drive today just for a change? Yes, let's.

Atenção: veja que **let's** só aparece nas respostas e nunca nas perguntas.

Lição I

Usamos **let's** apenas na resposta ou na afirmativa.

Então:

Shall we have some coffee? Yes, let's.

Shall we drive today just for a change? Yes, let's.

Let's go now. It's going to rain right away.

Lição II

Se for o caso de recusar o convite ou a sugestão de maneira educada, pode ser assim:

Shall we have some coffee? Sorry, I wish I could, but you see, I have errands to run right now.

(Vamos tomar um café? Sinto, gostaria, mas não posso; tenho coisas para fazer agora mesmo).

Shall we drive today just for a change? Not really, I'd rather walk.

(Vamos de carro hoje só para variar? Não, prefiro andar).

Mais alguns exemplos com **shall we?**

Shall we dance?

(Vamos dançar?).

Shall we have fruit instead of cheesecake for the dessert?

(Vamos comer fruta em vez de torta de queijo de sobremesa?).

Shall we go now?

(Vamos agora?).

Shall we begin the meeting?

(Vamos começar a reunião?).

Let's go for some coffee, shall we?

Let's call it a day, shall we?

Vocabulary:

Sorry, I wish I could (Desculpe, mas bem que gostaria).

I'd rather walk means I'd prefer to walk.

I have errands to run (Tenho coisas a fazer).

Let's call it a day (Vamos encerrar o dia, vamos encerrar o expediente).

4. **IT'S ABOUT TIME. IT'S HIGH TIME.**

It's about time ou **It's high time** significa "já está mais que na hora" ou "já está passando a hora de" no sentido que algo deveria ter sido feito antes.

Exemplos:

It's about time (it's high time) he realized that he is no longer a child to act like that. He is already 15.

(Já está mais que na hora de ele entender que não é mais uma criança para agir assim. Ele já tem 15 anos).

Como você já percebeu, quando algo deixou de ser feito, ou está demorando muito, é esta expressão que deve ser usada para passar a ideia de que "já está mais que na hora de". Pode ser **it's about time** ou **it's high time**.

O verbo fica no passado: **It's about time he realized** (já está passando da hora de ele entender).

Outros exemplos:

a) **It's about time we got a raise (it's high time we got a raise) Our boss told us it was going to happen two months ago.**

b) **It's about time this hospital improved their security system. There have been thefts here for as long as I can remember.**

c) **It's about time you fixed that computer. I've been trying to use it for the past two weeks! I have a report that's due next Monday.**

d) **It's about time for Johnny to start taking responsability for his own acts. He has been acting crazy like that in school and at home.**

Vocabulary:

It's about time we got a raise (Já está mais que na hora de recebermos um aumento de salário).

There have been thefts (Tem havido roubos).

For as long as I can remember (Desde que me lembro, pelo tempo que me lembro).

A report that's due next Monday (Um relatório com prazo para a próxima segunda-feira).

5. I CAN'T AFFORD TO BUY IT

I can't afford to buy it significa "não tenho condições de comprar", "não tenho dinheiro suficiente para comprar" ou "não posso me dar ao luxo de comprar".

I can afford to buy it now since I got a raise in my salary significa "tenho condições de comprá-lo agora já que tive um aumento salarial".

I can't afford to sleep until late significa "não posso me dar ao luxo de dormir até tarde".

Mais exemplos:

a) **I have my own busines so I can't afford a month vacation as anybody else.**

b) **My soccer team can't afford to lose its best player now. Not now.**

c) **What can you afford with one dollar these days?**

d) **I wish I could go with you but I can't afford to travel this year.**

e) **With her salary she can't afford a private school.**

Nota:

Do verbo **to afford** temos **affordable** que significa "acessível", "em conta" com a ideia de "não muito caro".

Exemplos:

a) **Sharing rents makes it affordable for students to live near the school.**

b) **That restaurant has affordable prices on Mondays.**

Vocabulary:

My soccer team (Meu time de futebol).

A private school (Uma escola particular).

Sharing rents (Dividindo aluguéis).

6. **IT'S NO USE**

It's no use significa "não adianta" ou "não leva a lugar nenhum".

Exemplos:

a) **It's no use calling them at this time. It's lunch time.**

b) **It's no use complaining about these kinds of things. Who cares?**

c) **It's no use having education if you don't have any background.**

d) **OK. You've got the money, but what's the use? Tickets are sold out. Let's go home.**

Nota:

Também pode se dizer **It's no good** no lugar de **it's no use.**

Ambas as frases significam a mesma coisa: "não adianta".

Portanto:

a) **It's no good calling them at this time. It's lunch time.**

b) **It's no good complaining about these kinds of things. Who cares?**

c) **It's no good having education if you don't have any backgrounds.**

d) **OK. You've got the money, but what's good? Tickets are sold out. Let's go home.**

Vocabulary:

Who cares? (Quem se importa?).

If you don't have any backgrounds (Se você não tiver experiência anterior).

Tickets are sold out (Ingressos se esgotaram).

7. FRASES COM **WILL**

A presença de **will** nas frases de conversação é intensa. Veja.

a) **This screw won't come out. It's rusty** (Este parafuso não quer sair. Está enferrujado).

b) **They won't help us** (Eles não querem nos ajudar).

c) **Will you listen to me, please?** (Você quer me ouvir, por favor?).

d) **The car won't start** (O carro não quer pegar).

e) **He won't take my credit card** (Ele não quer aceitar meu cartão de crédito).

f) **She is willing to take the test today** (Ela está disposta (quer) prestar o exame hoje).

g) **He left a will** (Ele deixou "o último desejo", ou seja, um testamento).

h) O provérbio **Where there is a will there is a way** (Querer é poder).

i) **Will you marry me?** (Você quer casar comigo?).

8. TESTE

Não é um teste de conhecimento. É para ajudar a memorizar o que foi dado neste livro. Portanto, responda em inglês, baseado no contexto em que foi dado.

Como você diria em inglês?

a) Ela quer que eu trabalhe.

b) Gostaria de ir, mas não posso.

c) Não tenho condições de comprar uma casa por enquanto.

d) Você sempre esteve presente, nunca me abandonou.

e) O que foi?

f) Vou tirar a mesa.

g) O que isto quer dizer? No sentido de “o que você está querendo dizer exatamente?”

h) Limpe os pés antes de entrar.

i) Não adianta telefonar para eles a esta hora.

j) Tem (há) algum recado para mim?

Respostas:

a) **She wants me to work**.

b) **I wish I could go.**

c) **I can’t afford to buy a house for now** ou **I can’t afford to buy a house for the time being.**

d) **You’ve always been there for me.**

e) **What?** (Uma palavra só: **What?**).

“O que foi?” em inglês é **What**?

f) Se a ideia for “tirar as coisas de cima da mesa” é **I’m going to clear the table.**

Então, a ideia de **clear the table** é livrar a mesa das coisas que estão em cima, é desobstruir a mesa.

Por isso:

To clear the road (Desobstruir, desimpedir a estrada).

To clear a check (Compensar um cheque, liberar o cheque).

Do verbo **to clear** vem **clearance** (A parte desobstruída, livre, ou seja, o vão).

Clearance sale (Liquidação de final estoque, queima de estoque).

To get a clearance (Receber permissão para passar, entrar, sair, decolar).

g) **What's that supposed to mean?**

h) **Wipe your feet before you come in** (Limpe seus pés antes de entrar).

A ideia: **to wipe** é passar os pés (ou os sapatos) num pano para limpar a sola.

O verbo **to wipe** tem esta ideia de passar o pano para limpar.

Por isso:

To wipe your nose (Limpar seu nariz, passando um lenço).

To wipe the windshield (Limpar o para-brisa, passando algo).

i) **It's no use (it's no good) calling them at this time.**

j) **Is there any message for me?**

9. **ARE YOU WILLING TO?**

Are you willing to?

Are you in the mood?

Do you feel like?

A ideia ou a intenção dessas frases são:

Você está disposto?

Você está com vontade de?

Você está a fim de?

Voltamos ao mesmo assunto de "estou com vontade de", "estou a fim de" pela sua importância.

Exemplos:

a) **Are you willing to take the responsability that goes with that job? It's a whole lot of responsibility, but it pays off.**

b) **I'm not willing to go that far, I guess I'll just tell him we should be friends.**

c) **Are you in the mood for a cheese burger?**

d) **I'm in the mood for Chinese. Sorry, no, actually I'm in the mood for pizza.**

e) **Let's go bowling! No, I'm not in the mood for bowling tonight.**

f) **Do you feel like dancing?**

g) **Do you feel like going away for the weekend?**

h) **I fell like going for a swim.**

i) **I'm dead, tired, beat. I'm going to take a rain check, maybe next time.**

Vocabulary:

It's a whole lot of responsibility (É muita responsabilidade).

It pays off (Compensa, vale a pena).

I'm going to take a rain check (Vou aceitar na próxima oportunidade, você fica devendo). É uma expressão idiomática norte-americana.

I'm dead, tired, beat (Estou morto, cansado, esgotado).

Nota: estou indisposto hoje se diz **I'm sick today**.

10. WHAT'S THE POINT?

A frase **what's the point?** significa:

— Qual é o propósito?

— Qual é a vantagem?

— De que adianta?

Exemplos:

What's the point of inviting her to the dinner party?

What's the point? We'll spend more on gas than we'll get from the discounts.

What's the point? He is not eligible for this position. Let's vote for someone else.

Mais exemplos:

That's not the point significa "não é o que importa", "não vem ao caso".

Exemplo: **I know he is a friend of ours, but that's not the point, he is just not eligible for this position.**

Get to the point significa "vá direto ao assunto", "seja mais objetivo".

Exemplo: **All right guys, it's Friday, 4 o'clock, we have to finish, so let's all get to the point.**

I don't see the point of significa "não consigo ver o significado de, a razão de".

Exemplo: **I just can't see the point of her attitude toward her parents.**

You've got a point there (Você tem razão nisto, você está certo nisto).

Outros exemplos:

I like detective movies but I often miss the point because I'm not very attentive.

You mentioned the high costs. Yes, you've got a point there.

At the beginning of our meetings we usually talk off the point for a few minutes.

I can't see the point in talking to teens; they never listen to us.

OK girls, no more gossips, let's get back to the point.

Nota:

To make a point of significa “fazer questão de”.

Exemplo: **I always make a point of paying back the money I borrow.**

Vocabulary:

We’ll spend more on gas than (Gastaremos mais com gasolina do que...).

He is not eligible for this position (Ele não tem os requisitos para este cargo).

Her attitude toward her parents (A atitude dela em relação aos pais dela).

I like detective movies (Gosto de filmes policiais).

I often miss the point (Sempre perco a parte central, fico sem entender).

You’ve got a point there (Você tem razão nisto).

We usually talk off the point (Normalmente falamos de outras coisas fora da pauta).

No more gossips (Nada mais de fofocas).

Let’s vote for someone else (Vamos votar em outra pessoa).

11. TO ASSUME

To assume significa: achar, pressupor, acreditar que.

O uso do verbo **to assume** na sua conversação irá aliviar você do uso demasiado do verbo **to think** no sentido de “achar”.

Exemplos:

a) **Everyone was gone for the day, so I assumed I should go, too.** (Todos foram embora, então achei que eu devia ir também).

b) **Why did you take those papers home?**

Well, you left them in my locker, I assumed you wanted me to have them.

(Por que você levou aqueles papéis para casa?)

(Bem, você os deixou no meu armário, e acreditei que queria que eu ficasse com eles).

c) **His wife is much younger than he is. So, people often assume she is his daughter.**

(Sua esposa é muito mais jovem que ele. Então, as pessoas acham que ela é filha dele).

12. CLEAN JOKES

Vamos falar de piadas. As limpas, é claro. As **clean jokes**. Você pode aprender muito com elas.

Uma piada só tem graça por causa do "segundo sentido" das frases prontas. A pessoa que ouve espera o primeiro sentido, mas a piada dá o segunto sentido. É o motivo do riso.

Então, é um excelente meio para você perceber o segundo sentido da frase.

Vamos analisar quatro piadas.

A) **"I miss my wife's cooking- as often as I can".**

Vamos explicar a piada.

O verbo **to miss** tem dois significados.

a) **I miss my wife's cooking** (Sinto saudades da comida da minha mulher). O primeiro sentido é "sentir falta, sentir saudades".

b) O segundo sentido é "perder, deixar de". Então, a leitura final fica assim: "Deixo de comer a comida da minha esposa sempre que posso".

Claro que apenas tem graça em inglês por causa desses dois significados.

Para você achar graça numa piada é preciso perceber o segundo sentido instantaneamente. Ajuda na rapidez mental.

B) Patient: **I went to a psychiatrist for six months. I thought I was a dog.**

Friend: **Well, did you get some help?**

Patient: **I sure did. I feel great now. Just feel my nose.**

C) **A panhandler said to me:**

Mister, I haven't tasted food for a week.

I said: Don't worry. It still tastes the same.

D) **You make that dress look ten years younger.**

E) **She made him a millionaire. Before she married him, he was a billionaire.**

Vocabulary:

Psychiatrist (Psiquiatra).

Just feel my nose (Sinta o meu nariz; no caso, sinta a temperatura do meu nariz).

I feel great now (Sinto-me muito bem agora).

Panhandler (Pedinte).

I haven't tasted food for a week (Não sinto o gosto da comida há uma semana).

It still tastes the same (Ainda tem o mesmo gosto).

13. TESTE

Não é um teste de conhecimento. É para ajudar a memorizar o que foi dado neste livro. Portanto, responda em inglês baseado no contexto em que pedido.

Como você diria em inglês...

a) E quem liga (Quem se importa)? Eu ligo.

b) Estou mais ou menos (um tanto, um pouco) cansado. Trabalhei 20 horas.

c) Ele disse que não reúno condições para este cargo. O que ele quis dizer com isto?

d) Vamos tomar um café?

e) Já está na hora (já passou da hora) de ele entender que isto é um negócio.

f) Não tenho condições (financeiras) para comprar uma casa de campo.

g) Não posso me dar ao luxo de não trabalhar aos sábados.

h) Não adianta chorar sobre o leite derramado.

i) Ela achou que o café era cortesia neste restaurante (ela acreditou que).

j) Sei que ele precisa de dinheiro, mas não é essa a questão, não é a nossa política emprestar dinheiro.

Respostas:

a) **Who cares? I do.**

b) **I'm kind of tired or I'm sort of tired (or I'm rather tired). I worked 20 hours.**

c) **He said I'm not eligible for this position. What's that supposed to mean?**

d) **Shall we have some coffee? How about some coffee?**

e) **It's about time he realized this is business. It's high time he realized this is business.**

f) **I can't afford to buy a country house.**

g) **I can't afford to have Saturdays off.**

h) **It's no use crying over spilt milk.**

i) **She assumed coffee was complimentary in this restaurant.**

j) **I know he needs money, but that's not the point, it's not our policy to lend money.**

14. PERGUNTAS SOBRE O EVENTO CONVERSAÇÃO

a) O que fazer para melhorar a pronúncia?

b) O que fazer para melhorar o entendimento auditivo: o **listening**?

c) Qual é o inglês que surge na hora de você falar?

d) Você conseguiria fazer uma lista de frases prontas em português?

e) O que você pode fazer para não esquecer seu inglês?

f) Você acha que já está conseguindo melhorar o seu desempenho na conversação?

g) Por que uma pessoa tem dificuldades em enxergar as frases prontas?

h) O que é ser um militante da conversação?

Respostas:

(As respostas não são técnicas; portanto, pode haver mais de uma interpretação. A intenção é transformar o leitor em um militante da conversação.)

a) Ouvir. Ouvir e reproduzir. Sempre imitar a fonética.

b) Ouvir para entender a mensagem principal: **the gist.**

c) O inglês que você praticou até a perfeição. O inglês que vem por reflexo.

d) Não. Porque frase pronta é situacional. Se derem a situação, você consegue.

e) Entender a função (a intenção) da frase na conversação. Depois, tentar usá-la até se sentir bem com ela. Se você se limitar a decorar o significado não funciona.

f) A resposta é pessoal. Mas, se você está usando mais frases prontas, está cuidando da pronúncia e ouvindo mais inglês, e claro, está conseguindo.

g) Porque se acomodou em ver as palavras isoladamente. Então, não percebe que as palavras em grupo, numa determinada combinação, formam frases prontas.

Exemplos: **It's no use. It's about time. I feel like going. It's kind of.**

Não percebendo, perde todas as ideias que elas querem transmitir.

h) É direcionar a atenção para o evento conversação. Ali é o domínio do inglês falado. Ali é o inglês que os outros impõem.

Por isso, aula de conversação não pode ser somente "responder", "falar" e "relatar". Uma verdadeira aula de conversação deve simular o evento conversação.

Exemplo: fazer perguntas, saber abordar, pedir esclarecimentos, saber interpretar o que ouve, enfim, conversação é ação e reação em tempo real.

Lembre-se: se o seu inglês não for aceito, a conversação não acontece. Então, habilidades como passar o conforto do pronto entendimento, planejar antes o que falar, seguir os protocolos devem ser desenvolvidas nas aulas de conversação.

15. ANTES DE TUDO, PLANEJAR O QUE FALAR

Não entre numa conversação sem planejar o que irá falar.

É fácil. É apenas um esboço mental do que vai falar. Não é um **script**. Apenas os pontos importantes e o ponto de chegada. Claro, sempre com as frases prontas para cumprir o roteiro.

Lendo assim parece complicado, mas é a coisa mais natural do mundo.

É o que você faz em português diante de uma situação nova: faz um roteiro e escolhe as frases, não é? Pense em quantas vezes fez isso. Pense na última vez que você fez isto. Entrevista para emprego? Uma compra importante? Reatar com alguém?

Pense em quantas vezes você deixou de fazer isso. Quais foram as consequências? Esqueceu os pontos importantes e provavelmente não atingiu o objetivo. Saiu para comprar lebre e trouxe gato.

Em inglês é a mesma coisa. Na aula de conversação é a mesma coisa. Não fale às cegas. Não é falar por falar, porque esta prática vira hábito e acaba tornando-se vício.

Um segredo: Quem é experiente faz tudo parecer espontâneo, parecer que não planejou nada. Faz até cara de surpresa. Não acredite nessa. Há um planejamento mental atrás que, com o tempo, tornou-se instinto.

Por isso, duas pessoas com o mesmo conhecimento de inglês podem ter resultados diferentes na conversação. A diferença está na maneira de praticar o inglês: falar por falar ou planejar o que falar.

Capítulo 5

Pensar em inglês

Para melhorar seu desempenho na conversação é preciso "pensar em inglês". O sonho de todo o professor de conversação é fazer o aluno pensar em inglês. Por quê? Porque só assim seu inglês fica natural e espontâneo. Mas, como conseguir isso? Com o exercício certo. Com a imersão. Não dá para chegar ao ponto de pensar em inglês sem imersão, sem manter a mente ocupada com o inglês. É o que vamos fazer agora: manter sua mente imersa no inglês.

A finalidade desse exercício não é aprender inglês ou melhorar o inglês. É a imersão. É treinar a mente. Estranho não? Exercício para não aprender inglês? Sim, é para você falar por reflexo e soar natural e espontâneo.

Se você prestar atenção verá que quem é fluente usa um inglês simples, mas preciso. Frase certa na hora certa. E como ele consegue isso? Pensando em inglês.

A) SOBRE O EXERCÍCIO PARA PENSAR EM INGLÊS

Chegou a hora de "treinar a mente" para pensar em inglês.

Vamos propor um exercício simples.

É assim: ler mentalmente um texto várias vezes ao dia.

Ensaios de dois minutos cada vez. Várias vezes ao dia. Não se deixe enganar pela simplicidade desse exercício. Ele vai fazer você começar a pensar em inglês.

Um único texto ao longo do dia. Dois minutos cada vez. Várias vezes ao dia. É uma imersão. Um minuto de leitura e um minuto de concentração na mensagem.

Isso vai animar você.

Você já deve ter ouvido pessoas que vão estudar ou morar fora do país que dizem "puxa, depois de alguns meses, de repente, comecei a entender tudo e comecei a falar".

Bem, na verdade não foi de repente e sim um processo que demorou algum tempo e o resultado é que aparece de repente. A pessoa vai ouvindo e ensaiando o que falar.

É isso que queremos que você faça a partir de agora.

Claro, não é exatamente a mesma intensidade, mas estamos propondo um mecanismo parecido.

Agora, atenção: é ensaiar com sentimento. Não é ler mecanicamente.

O sentimento é que faz a memória. O que você fala com sentimento não esquece.

Gostaríamos de repetir: o sentimento é que faz a memória.

Para "sentir" você precisa associar o texto a um fato significativo de sua vida.

Você tem que dar um fundo emocional ou afetivo ao texto. Criar uma memória emocional. O texto lido no vazio, sem sentir, mecanicamente, vai evaporar.

Vamos à luta?

B) PEQUENOS TEXTOS PARA ENSAIAR

Daremos sete textos simples para você ler no decorrer do dia.

A finalidade é manter sua mente focada na mensagem. É uma imersão.

É esse processo que vai fazer você começar a pensar em inglês.

1) Primeiro texto para o primeiro dia:

This is the most beautiful definition of "house" and "home" I've ever heard.

Actually, it's a child's definition:

"When you are outside, it looks like a house

But when you are inside, it feels like a home".

Vocabulary:

Actually it's a child's definition (Na realidade, é definição de uma criança).

It looks like a house (Parece uma casa).

It feels like a home (Você se sente num lar).

Lição:

Pronto, é um texto simples e pequeno, mas suficiente para um dia de ensaio.

Por favor, o texto precisa ser dito cada vez de uma maneira. De maneira íntima, informal, formal, alegre, triste, enfim, exatamente como você faz em português.

Não é dizer mecanicamente, de qualquer jeito.

Lembrando: várias vezes no decorrer do dia, dois minutos por vez.

2) Continuando: Segundo texto (segundo dia):

Son, tell you what.

You are about to get married and I want you to get this.

Success in marriage is much more than finding the right person, it is a matter of being the right person.

Do you get me, son?

Vocabulary:

You are about to get married (Você está prestes a se casar).

I want you to get this (Quero que entenda isto).

It is a matter of being the right person (É uma questão de ser a pessoa certa).

Do you get me? (Você me entende?).

3) Terceiro texto (terceiro dia):

Good morning, everyone.

Today's issue for the meeting is "team work".

To begin with, I wonder why some people just don't seem to cooperate with their co-workers.

Why are some of you so selfish?

Don't you see I'm trying hard to help you all?

What do you say?

Vocabulary:

Today's issue (O assunto em pauta de hoje).

I wonder why (Quero saber por quê).

Just don't seem to cooperate with their co-workers (Simplesmente parece que não colaboram com seus colegas de trabalho).

Some are so selfish (Alguns são tão egoístas).

4) Quarto texto (quarto dia):

Please, learn this simple philosophy: it takes both rain and sunshine to make a rainbow.

Nobody is perfect.

In other words, treat everyone like you want to be treated.

That's the secret of good relationship.

That's the secret of making good friends everywhere you go.

It's worth a try.

Good luck. Have a nice day.

Vocabulary:

It takes both (Precisa de ambos).

To make a rainbow (Para fazer um arco-íris).

Treat everyone like you (Trate todos como você).

It's worth a try (Vale a pena tentar).

Nota: guarde o uso do **It takes** como "precisa", "leva tempo".

I'll do what it takes (Farei o que for preciso).

It takes two to fight (Precisa de dois para brigar).

It takes a lot of enthusiasm to work here (Precisa de muito entusiasmo para trabalhar aqui).

It takes two days to get there if you drive (Leva dois dias se for de carro).

How long does it take? (Quanto tempo leva?).

5) Quinto texto (quinto dia):

Remember there are no bad days,

Some are just better than others.

Remember the flower that follows the sun,

Does so even in cloudy days.

Vocabulary:

The flower that follows the sun (A flor que segue o sol).

Does so even in cloudy days (Faz a mesma coisa até em dias nublados).

6) Sexto texto (sexto dia):

A) **So, are you two getting serious?**

B) **What do you mean?**

A) **Well, you've been going out with Tim for 6 months now.**

You are always together. I figured you were getting engaged.

B) **We aren't making any plans right now.**

We've decided that we will play by ear.

Vocabulary:

Are you two getting serious? (Vocês dois estão levando o namoro a sério?).

I figured you were getting engaged (Concluí que vocês iam ficar noivos).

We've decided that we will play by ear (Decidimos que vamos levando assim, sem planejar nada).

Nota:

A expressão **play by ear** significa: fazer coisas sem planejar antecipadamente, tomar decisões sem planejar, reagir conforme o que vai acontecendo.

7) Sétimo texto (sétimo dia):

Remember, a lie has no legs.

It requires other lies to support it.

Tell one lie and you are forced to tell others to back it up.

It's about time you knew this.

Vocabulary:

A lie has no legs (Mentira tem pernas curtas).

To back it up (Para apoiá-la).

It's about time you knew this (Já estava na hora de você saber disso).

C) PEQUENOS TEXTOS PARA MONTAR E ENSAIAR

Agora vamos mudar um pouco.

Aqui você vai fazer o mesmo que fez com os sete textos anteriores; mas com uma diferença: você terá que montá-los. Montar os textos?

Sim, você irá montar os textos com os elementos que iremos fornecer (assunto, objetivo e vocabulário). Cabe a você construir um diálogo imaginário.

Depois, basta ensaiar, exatamente como você fez anteriormente.

a) Bem, vamos montar o primeiro diálogo.

Assunto: **To congratulate someone on something** (Dar os parabéns para alguém por algo).

Objetivo: **To congratulate (your boss, a friend, a teacher) on his/ her graduation or promotion.**

Sugestão de vocabulário:

Aqui vão algumas sugestões de palavras, expressões e frases.

To pay homage (Prestar homenagem).

I'd like to congratulate you on (Gostaria de dar os parabéns por).

You've earned it (Você lutou e mereceu).

You deserve it (Você merece).

Wish you all the best (Desejo-lhe tudo de melhor).

I've always known that (Sempre soube que).

It's very kind of you (É muita gentileza sua).

It's very nice of you (É muita gentileza sua).

Therefore (Portanto).

Lição:

Pronto! Você tem todos os ingredientes para imaginar uma homenagem a alguém: o assunto (**to congratulate someone**), o objetivo (**to congratulate your boss, or a friend or a teacher on his or her...**) e o vocabulário sugerido.

Agora, o resto é com você. Monte um diálogo. Pode ser no formato de uma "conversa íntima" ou de um "discurso", ou de uma "festa-surpresa"; enfim, a imaginação é sua.

Monte "a homenagem" e vá ensaiando ao longo do dia.

b) Mais um diálogo para montar.

Assunto ou situação: **To make a decision between "meditation" and "medication"** (Decidir entre "meditação" ou "tratamento por remédios").

Vocabulário sugerido:

This hectic life (Esta vida atribulada).

To watch a sunrise this time (Assistir a um amanhecer desta vez).

To sit back and relax (Sentar e descansar).

Stressful life (Vida estressada).

Peace of mind (Paz de espírito).

A quiet and peaceful life (Uma vida tranquila e pacata).

As a result (Consequentemente, como resultado).

To seize the day (Aproveitar o dia, aproveitar o momento, viver o dia).

Nota: **to seize** significa "tomar à força, apoderar-se à força".

"Meditação ou remédios?". Pode ser uma conversa íntima com sua família, ou uma explicação para seu chefe, ou para seu médico, ou uma confissão para um amigo, enfim, a imaginação é sua.

AGORA OS ENSAIOS

1) Assunto: **Treat everyone like you want to be treated**. (Trate todos como você quer ser tratado).

Vocabulário sugerido:

Prejudice (Preconceito),

To make friends (Fazer amizades).

A friendly person (Uma pessoa amigável, uma pessoa simpática).

A sympathetic person (Uma pessoa solidária, uma pessoa compreensiva nas horas difíceis).

That's a fact of life (Isso é um fato da vida).

In spite of the fact... (Apesar do fato de...).

Unlike (Diferente de).

To get along well with (Dar-se bem com, conviver bem com).

2) Assunto: **Law enforcement** (Aplicação da lei, fazer cumprir a lei).

Objetivo: **To have a better country to live in.**

Vocabulário sugerido:

To enforce the law (Fazer cumprir a lei, aplicar a lei).

Yet (Ainda assim).

The human nature (Natureza humana).

To abide by law (Obedecer a lei, viver de acordo com a lei).

To have the right to (Ter direito de).

Bottom line (O resultado final, o que interessa no fim).

State-of-the-art (Palavra referente à tecnologia, significa tecnologia de ponta, o modelo mais avançado, última palavra em).

Peace of mind (Paz de espírito).

Leisure time (Hora de lazer).

However (Porém, contudo, entretanto, no entanto).

3) Assunto ou situação: **a job interview** (uma entrevista para emprego).

Objetivo: **To work as a receptionist, using English, at an international hotel**

Vocabulário sugerido:

To apply for a job (Candidatar-se a um emprego).

Fringe benefits (Benefícios adicionais).

Salary: negotiable (Salário: negociável).

Learn fast (Aprendo rápido).

Friendly to clients and guests (Simpático ou amável com clientes e hóspedes).

I'm about to gratuate (Estou prestes a me formar; estou quase me formando).

To make a living (Ganhar a vida).

Otherwise (Caso contrário, senão).

Once (Já que, uma vez que).

4) Subject: **To feel like travelling alone this time** (Ter vontade de viajar sozinho desta vez).

Purpose: To convince or persuade someone that this time you are not taking him/her.

Suggested vocabulary:

It's about time I travelled alone (Já estava na hora de viajar sozinho).

To feel like doing something (Ter vontade de fazer algo, estar a fim de fazer algo).

I don't feel like (Não estou com vontade, não estou a fim de).

I feel more like it now (Agora estou com mais vontade ainda; agora estou mais a fim de).

Instead of (Em vez de, no lugar de).

I don't want you to come with me (Não quero que você venha comigo).

I need peace of mind (Necessito de paz de espírito).

I want to be all by myself (Quero ficar completamente sozinho).

Likewise (Igualmente).

5) Subject: **Never refuse a cup of coffee** (Nunca recuse uma xícara de café).

Purpose: How to be a good guest.

Suggested vocabulary:

Guest (Hóspede, visita).

Courteous (Cortês).

To pay someone a compliment on something (Elogiar alguém por alguma coisa).

To pay someone compliments (Elogiar alguém, fazer elogios a alguém).

It's very kind of you (É muita gentileza de sua parte).

Unless (A menos que).

Since (Já que, desde que).

6) Subject: **Money value** (Custo/benefício).

Purpose: To trade in my car (Trocar meu carro por um novo).

Suggested vocabulary:

Expenses (Despesas).

Maintenance (Manutenção).

Garage bills (Contas da oficina).

Good trade-in value (Bom valor de troca).

Make (Marca).

Bottom line (Resultado final, o que interessa no fim).

This make has good appreciation (Esta marca tem boa valorização).

Brand new (Novo, novinho em folha).

... though (mas, porém, usada no fim da frase).

7) Subject: **Goals are dreams with deadlines** (Metas são sonhos com prazo final).

Purpose: To talk about someone's accomplishments to someone else (Falar para alguém sobre as realizações e conquistas de outra pessoa).

Suggested vocabulary:

Accomplishments (Feitos, realizações).

Where there is a will, there is a way (Querer é poder).

I'll do what it takes (Farei o que for preciso).

I'll do my best (Darei o melhor de mim, farei o melhor que puder).

As long as I live (Enquanto eu viver, pelo tempo que eu viver).

What's the point of? (Qual a vantagem? Qual o objetivo?).

It's worth trying (Vale a pena tentar).

I'm about to get a promotion (Estou prestes a receber uma promoção).

Due to (Devido a, por causa de).

Capítulo 6

O desempenho na conversação de resultados

Acontece aqui mesmo na nossa cidade. Numa empresa o chefe precisa de alguém para conversar com clientes importantes. Clientes brasileiros. O chefe escolhe qualquer funcionário? Afinal, é para falar em português! O que você acha? Vamos pensar. O chefe sabe quem mandar e principalmente quem não mandar. Claro, em primeiro lugar ele escolhe as pessoas por suas qualidades profissionais e pessoais. Depois escolhe aquele que tem bom desempenho nas conversações. Então, não pode ser qualquer um. O chefe sabe por experiência que há pessoas que não consideram o outro na conversação, ou seja, não passam o conforto do pronto entendimento. É questão de interesse e não de conhecimento da língua portuguesa.

Em inglês é a mesma coisa. Há pessoas que sabem bem o inglês, mas não se preocupam em falar em função do outro. É questão de querer. De interesse. De treino. Por isso, vamos apresentar: "Sinalizar bem as manobras para ajudar o outro" e "Como se comportar numa aula de conversação".

1. SINALIZAR AS MANOBRAS AO FALAR

Vamos lembrar que nosso foco é o evento conversação. Não é o ensino de inglês.

Por isso, vamos investir em “sinalizar manobras”.

Sim, ao falar você faz um percurso. E durante o percurso você muda de ideia, sai do assunto, cita outros fatos, volta, avança, interrompe, enfim, faz manobras exatamente como no trânsito.

Veja: quando você diz **due to the rain** (devido à chuva) está avisando a pessoa que vai passar a citar uma causa, não é? A outra pessoa instantaneamente se prepara para ouvir a causa; e ela agradece pelo aviso.

Da mesma forma, quando você diz: **but** (mas) ou **... though** (mas) ou **however** (contudo) está avisando que vai começar a citar as “adversidades”. A pessoa, então, se prepara para ouvir os impedimentos; e ela agradece pelo aviso.

Por que não usamos o termo gramatical “conjunções” ou outro termo equivalente?

Porque a maioria das pessoas não reaje quando ouve “conjunções”. É um termo abstrato para elas. Não causa impacto no seu cérebro. Não causa reação instintiva.

Qual fica mais fácil de lembrar na hora da conversação: “conjunções” ou “sinalizar as manobras”? É instintivo sinalizar as manobras ao falar; muitas vezes usamos as mãos e nem percebemos. Agora, quem é que se lembra “das conjunções” na hora de falar?

Talvez, por isso, os alunos não usem bem essas palavras, porém, sem elas você causa acidentes, ou seja, mal-entendidos.

Quando o outro diz para você: “tinha entendido que”, “você não disse que”, “ah, só agora percebi que” etc. pode ser que você não conseguiu sinalizar bem suas manobras.

Vamos a elas?

2. SINALIZAR AS MANOBRAS AO FALAR (CONCLUSÃO, RESULTADO)

Você quer expressar a ideia de "conclusão" ou um "resultado" ou uma "consequência"?

Use estas palavras:

— **So** (Assim, então).

— **Therefore** (Portanto, logo).

— **As a result** (Consequentemente, como resultado).

— **Consequently** (Consequentemente).

— **For this reason** (Por este motivo, daí).

Exemplos:

a) **(So). I can't afford this dress, so I'll just get this skirt.**

b) **(Therefore). I've been studying this poem for 30 days now, and therefore, I know it by heart now.**

c) **(As a result). She never took the medicines her doctor prescribed and, as a result, she had to be admitted to the hospital.**

d) **(For this reason).You are not 21 yet, for this reason they won't let you into that pub.**

Vocabulary:

I can't afford this dress (Não tenho condições para comprar este vestido).

Her doctor prescribed (Que o médico dela receitou).

They won't let you into the pub (Não vão deixá-lo entrar no bar).

Lição:

Não se limite a uma palavra. Tente usar todas as palavras para dar mais mobilidade a sua conversação. Usar sempre a mesma palavra cansa quem ouve.

Claro, verifique bem como cada palavra deve ser usada. Nem sempre as palavras são intercambiáveis (**interchangeable**).

3. SINALIZAR AS MANOBRAS AO FALAR (ADVERSIDADE, IMPEDIMENTO)

Você quer mostrar ideia de “adversidade”, “impedimentos”, “diferenças” ou “contrastes”.

— **But** (Mas, porém).

— **... though** (No fim da frase; igual a **but**).

— **Unlike** (Diferente de).

— **Instead of** (Em vez de).

— **Yet** (Ainda assim, mesmo que).

— **Whereas** (Enquanto que, ao contrário de).

— **On the other hand** (Por outro lado).

— **However** (Contudo, entretanto, no entanto).

— **Otherwise** (Caso contrário, senão).

Exemplos:

a) **(But). She wants to be independent, but she doesn’t want to work.**

b) **(Unlike). Unlike anywhere else, in Brazil cars run on alcohol, too.**

c) **(Instead of). Instead of complaining about everytyhing, why don’t you help us out?**

d) **(Yet). She promised she would pay me back, yet she knew she would never have the money.**

e) **(Whereas). People tend to be very straightforward in America, whereas in Brazil we tend to beat around the bush before going to the point.**

f) **(On the other hand). It would be very good for you to look for a better job, on the other hand, you have to bear in mind that it's no easy task.**

g) **(However).This is a very tempting offer, however I must talk it over with my family first.**

h) **(Otherewise). Remember, do not take your studies for granted. Otherwise you'll be taking the same courses next semester.**

Vocabulary:

To be very straightforward (Ser muito direto, muito sincero).

To beat around the bush before going to the point (Fazer rodeios antes de ir ao assunto).

To bear in mind (Ter em mente).

It's no easy task (Não é tarefa fácil).

Tempting offer (Oferta tentadora).

I must talk it over (Preciso trocar ideias com alguém).

Do not take your studies for granted (Não leve seus estudos na brincadeira).

4. SINALIZAR AS MANOBRAS AO FALAR (SEMELHANÇA)

Agora você quer ou precisa mostrar ideia de "semelhanças":

Use estas palavras:

— **Like** (Como, igual a).

— **Likewise** (Igualmente).

— **Not only... but also** (Não somente... mas, também).

— **Alike** (Igual, parecido).

Exemplos:

a) **(Like). Just like any other company, we need to make money.**

b) **(Likewise). They are looking at 10% profit for next year, and we are likewise.**

c) **(Not only... but also). Not only did you not fix the problem, but you also caused another one.**

d) **(Alike). You two are so much alike. Neither one of you will listen to what others have to say.**

Vocabulary:

Neither you nor him (Nem você nem ele).

Neither one of you (Nenhum de vocês).

Not only did you not fix the problem (Você não apenas não resolveu o problema).

Lição:

Não se limite a uma palavra. Tente usar todas as palavras para dar mais mobilidade à sua conversação. Usar sempre a mesma palavra cansa quem está ouvindo.

Claro, verifique bem como cada palavra deve ser usada. Nem sempre as palavras são intercambiáveis **(interchangeable).**

5. SINALIZAR AS MANOBRAS AO FALAR (CAUSAS, ORIGENS)

Agora, você quer ou precisa mostrar a ideia de "causas ou origens de um ato".

Use estas palavras:

— **Because** (Porque, devido).

— **Because of** (Por causa de, devido a).

— **Due to** (Por causa de, devido a).

— **Since** (Desde, já que).

— **Once (**Uma vez que, já que).

— **For** (Por, porque, devido).

Exemplos:

a) **(Because). Because he is so devastated, we should give him a break.**

b) **(Because of). Because of all that's happened, we should be more careful now.**

c) **(Due to). Due to the power outage we'll have to work long hours this week.**

d) **(Since). Since we are all tired, I suggest we get some sleep and resume our duties tomorrow.**

e) **(Once). Once you've started beating the dough you can't stop or you'll ruin it.**

f) **(For). We have to help as much as we can, for there are thousand of homeless and hungry people out there waiting for our contribution.**

Vocabulary:

Due to the power outage (Devido à falta de eletricidade).

And resume our duties tomorrow (E retomemos nossas obrigações amanhã).

Once you've started beating the dough (Assim que começar a bater a massa).

Homeless hungry people (Pessoas sem teto e famintas).

6. SINALIZAR AS MANOBRAS AO FALAR (FAZER CONCESSÃO, ABRIR MÃO)

Agora, você quer mostrar a ideia de "fazer uma concessão" ou de "abrir mão" de alguma coisa para executar ou conseguir algo.

Use estas palavras:

— **Although** (Apesar de, embora).

— **In spite of** (Apesar de, embora).

— **Even though** (Mesmo que, até mesmo se).

— **Despite** (A despeito de, apesar de).

— **Unless** (A menos que).

Exemplos:

a) **(Altough). Although she was very young, she managed to fix them a very decent breakfast.**

b) **(In spite of). In spite of all the rain and flooded areas, they somehow made it to the meeting.**

c) **(Even though). Even though she was very sick in bed, she kept working with her lap top and e-mailing us all the work.**

d) **(Despite). Despite the lay off, the company still met the demands for 'Xmas.**

e) **(Unless). Unless you get up at 5:30 and work 12 hours straight, you'll never finish that paper on time.**

f) **(Unless). Unless we lower our prices, we'll have no customers.**

Vocabulary:

She managed (Ela deu um jeito e conseguiu).

To fix a decent breakfast (Fazer um bom café da manhã).

Flooded areas (Áreas inundadas).

They somehow made it to the meeting (Eles de alguma maneira conseguiram chegar à reunião).

Despite the lay off (Apesar da dispensa).

The company still met the demands (A firma ainda conseguiu cumprir os pedidos).

12 hours straight (12 horas direto, ininterruptas).

You'll never finish that paper (Você nunca terminará o projeto ou a pesquisa).

Unless we lower our prices (A menos que abaixemos os preços).

7. LISTENING

Ouvir é o recurso mais importante da conversação. Sem medo de errar, afirmamos: é o recurso mais importante para você falar inglês bem.

Você precisa entender e interpretar o que as pessoas dizem. A base de uma conversação é auditiva. Por isso, seu professor insiste tanto no **listening**.

Um conselho: ao ouvir, tente sempre entender a mensagem principal (**the gist**).

Não é fácil porque nossa mente fica paralisada já na primeira palavra que não conhecemos. É um vício paralisante esse de querer entender todas as palavras.

The gist

O importante é captar **the gist** (a mensagem principal, a ideia geral).

Não interrompa quando não entender uma palavra.

Lição:

Repetimos: não interrompa quando não entender uma palavra. É a pior coisa que você pode fazer. Você acaba perdendo a confiança no seu inglês. E, por fim, torna-se um vício paralisante.

8. PRONÚNCIA I

Nem é preciso dizer da importância da pronúncia.

Basta conversar com alguém que chegou de uma viagem a um país de língua inglesa.

É quase certo ouvir esta queixa: "Tive dificuldade com a pronúncia". "Eu com a deles e eles com a minha".

Claro, não vamos ensinar pronúncia aqui. Pronúncia se aprende ouvindo e não lendo.

O que vamos fazer neste livro é orientar. Chamar atenção para os erros mais comuns.

Vamos começar?

Você pronuncia as palavras para o outro entender.

Este é o ponto. Treinar a pronúncia para o ouvido deles.

Nota: "ouvido deles" significa o ouvido dos falantes nativos de inglês.

Cometemos o erro de achar que o ouvido dos ingleses é igual ao nosso. Não é. Infelizmente, não é porque está calibrado diferente. Pergunte a quem está acostumado a falar com eles.

Exemplo: **To live** e **To leave**.

Para nós parece o mesmo som, mas para eles são dois sons bem distintos.

Como resolver?

Elimine o hábito de "ler a grafia" na hora de pronunciar a palavra e concentre-se no "som" da palavra. Na fonética. Por quê?

Não sei se você já notou que existe uma "dificuldade" especial na língua inglesa: a grafia (o **spelling**) pouco tem a ver como a palavra é pronunciada (a fonética).

Essa é uma particularidade da língua inglesa que atrapalha a todos nós.

Exemplo:

Você acreditaria que o som do "i" nas palavras **first** e **shirt** têm o mesmo som do "o" nas palavras **work** e **world**?

Resposta:

É sim, é o mesmo som (pronunciamos **wirk** e **wirld** como **first** e **shirt**).

Mas, é difícil aceitar por causa da grafia, não é?

E, por favor, não faça regras para pronúncia em inglês. Não funciona.

Exemplo: o som do "i" nada tem a ver com o som do "o" em outras palavras, como **shirt** e **love**.

9. PRONÚNCIA II

Segundo os brasileiros que moram em países de língua inglesa, um **native speaker** consegue entender o que você diz mesmo que ocorram deslizes na gramática, no vocabulário, mas não na pronúncia.

Por mais que um **native** tente, ele não consegue entender um som "aproximado". Não é questão de falta de vontade, simplesmente não consegue. É coisa do ouvido deles.

Soube de brasileiros que sofreram acidentes nos Estados Unidos e, no hospital, gemendo de dor (em português), dizendo "ai, ai, ai", e os médicos e enfermeiros parados, sem começar os procedimentos, porque para o ouvido deles "ai" significa **I** (eu) e eles achavam que a pessoa estava tentando dizer alguma coisa e ficavam esperando que ela completasse a frase.

De um lado, o acidentado brasileiro gemendo "ai, ai, ai" e, do outro, o médico dizendo, **say it, say it, say it**. E o tempo passando...

Em inglês, quando se sente dor, se geme assim: **ouch, ouch, ouch**.

São detalhes que o aluno não dá importância na sala de aula, mas passam a ser itens de sobrevivência em se tratando de conversação na vida real.

10. PRONÚNCIA III

Não confie no som aproximado.

Quando aparece um som em inglês que não existe em português (como o "TH") a tendência é pegar um som aproximado.

Cuidado: o "som aproximado" só é aproximado para nós.

Para o ouvido dos ingleses é um "outro som".

O "L" FINAL

É o caso do L final, que em inglês é bem acentuado, com a ponta da língua tocando o céu da boca. Em inglês é "L" mesmo, não é U como nós falamos.

Por isso, ao dizer "Brasil" é preciso ter cuidado para não dizer "Brasiu", como pronunciamos, e sim "BrasiLL".

Por isso, palavras tão simples como **milk** podem trazer problemas.

A palavra **milk** deve ser dita com o L bem pronunciado, assim: miLLLk.

Já vi, em viagens, pessoas pedirem "miUk" (com U) e o atendente não entender.

Leia estas palavras e preste atenção no movimento da sua língua:

little, **cell phone**, **to feel**, **to tell**, **Brazil**.

Se você estiver falando corretamente o L, a ponta da língua termina no céu da boca.

O "M" FINAL

Em inglês, o M final é M mesmo (fechando a boca, tocando os lábios); por isso, temos dificuldades com **him, them, slim, sum**.

Em português, dizemos o M final como se fosse N (sem tocar os lábios); por isso, dizemos com facilidade as palavras inglesas **ten, pen, man, sun**.

Enfim, em português, a palavra “tem” é pronunciada com N.

Assim, há aquela velha piada que você deve conhecer:

— Um brasileiro nos Estados Unidos quer comer ovos fritos (**fried eggs**).

Então, pergunta ao garçom: “Tem **fried eggs**?”.

O garçom volta com dez ovos fritos.

11. PRONÚNCIA IV

Vamos ver o caso do passado verbal em ED (**called learned** etc.).

Parece fácil, um simples ED, mas nada fere mais o ouvido de um **native speaker** do que o ED mal pronunciado.

Converse com alguém que foi estudar num país de língua inglesa e pergunte qual foi uma das correções que fizeram no seu inglês. Sem dúvida, ele irá dizer que é a pronúncia do ED.

Então, qual é o problema exatamente?

Quando um **native speaker** diz **called, learned** você não ouve o “E” porque os ingleses não pronunciam o E: pronunciam apenas o D.

Praticando:

Treine a pronúncia do passado em ED sem dizer o E (ignore o E).

De hoje em diante, vale apenas o som do D fraco, bem fraco.

I learned (learnd) yesterday.

I called (calld) yesterday.

I played (playd) yesterday.

Nota: em alguns casos o som de D torna-se T naturalmente.

I worked (workt) yesterday.

I smoked (smokt) yesterday.

Pergunta: é tão grave assim pronunciar o E?

Para o ouvido deles é. Por quê?

Porque ao ouvir o ED, ouvem como uma sílaba a mais. Acham que essa sílaba é uma palavra e a mente deles fica procurando essa palavra.

Exemplos: **I call him every day** e **I called him yesterday**.

Call tem apenas uma sílaba. **Called** também tem uma sílaba apenas.

Portanto, se você disser **I called** e pronunciar o ED, a palavra passa a ter duas sílabas para o ouvido deles e assim é como se você tivesse dito duas palavras.

12. PRONÚNCIA V

Seu nome ou sobrenome começa com R?

Vamos falar de nomes ou sobrenomes que começam com R. Por quê?

Porque a maneira como dizemos o R inicial em português soa como H para eles.

Caso A

Nos Estados Unidos. Uma amiga, que se chama Rita, perfeitamente fluente em inglês, num descuido momentâneo pronunciou o seu nome como está acostumada no Brasil e recebeu um "Hita" no seu atestado.

Caso B

Em São Paulo. Uma pessoa se interessou por uma carreta para moto anunciada num classificado de jornal e, entre tantas coisas, perguntou pela marca e ouviu "Honda". Gostou do que ouviu e comprou. Mas, ao chegar em casa, viu que era "Ronda".

Caso C

Na Inglaterra. Um caso interessante é o de uma brasileira que estava fazendo um curso na Inglaterra e queria ir para "Rome (Italy)" visitar um amigo. Todas as vezes que ela dizia "Rome" ela pronunciava o R inicial com som de H e entendiam "home" e, então, perguntavam por que ela dizia a toda hora que queria ir para casa.

Então, pessoal que tem o nome ou sobrenome começando com R: cuidado ao dizer o R inicial.

13. COMO SE COMPORTAR NUMA AULA DE CONVERSAÇÃO I

Vamos pedir desculpas pela pergunta, mas precisamos saber.

Como é o seu comportamento numa aula de conversação?

Você recusa assuntos como:

"Não vou falar sobre filhos porque não sou casado".

"Não quero falar sobre futebol porque não gosto".

Aula de conversação não é isso. É simplesmente um treino. É preparar-se para o que a vida espera.

Você tem três motivos para falar:

Use sua imaginação para falar.

Use seu bom senso para falar.

Use sua boa vontade para falar.

Você tem mais quatro:

Use suas experiências para falar.

Use sua razão para falar.

Use seu coração para falar.

Use seu instinto para falar.

O maior obstáculo numa aula de conversação é a postura defensiva.

A pessoa se fecha e fala apenas por falar. Fala superficialmente. E isso, com o tempo, se torna um vício.

Falando superficialmente não se consegue aprofundar o assunto e, dessa maneira, seu inglês não progride e a pessoa se retrai mais ainda. Ela não percebe o círculo vicioso.

14. COMO SE COMPORTAR NUMA AULA DE CONVERSAÇÃO II

Você recusa assuntos assim?

Você diz "já falamos desse assunto" ou "outra vez o mesmo assunto?".

Vamos examinar a questão.

Quantas vezes na sua vida você falou de "felicidade", de "dinheiro", de "cachorro"?

A vida toda. Repetidas vezes. Só que, a cada vez, por novos ângulos e perspectivas.

Assim é o seu dia a dia, tanto no trabalho como na convivência social.

Você fala e ouve basicamente os mesmos assuntos, mas por novos ângulos e perspectivas. Apenas por curiosidade: apareceu algum assunto novo ontem?

Então, é natural voltar a um mesmo assunto de tempo em tempo.

Na próxima vez, seu inglês estará melhor e você fará uma melhor abordagem.

Na próxima vez, sua "visão do mundo" terá mudado e possibilitará novos ângulos e perspectivas. Até conseguir um giro de 360 graus em torno do assunto. Percebeu?

É assim que seu inglês ganha agilidade e profundidade. É assim que você ganha confiança no seu inglês.

15. A CONVERSAÇÃO POR ETAPAS.

Para situar bem sua conversação, vamos classificar a conversação em:

a) Conversação de sobrevivência: inglês fraturado.

b) Conversação de resultados: inglês de diálogos.

c) Conversação em nível de proficiência: inglês para plateia.

a) A conversação de sobrevivência

Significa falar com frases simples e vocabulário simples. É conversação elementar.

Não chega a ser propriamente diálogos, por isso, dizemos que é "falar sozinho". Exemplo: pegar um táxi, falar no hotel, bater papo informal.

Claro, é melhor que nada e para muitos é a salvação, mas sempre será uma comunicação superficial. Na verdade, é preciso sempre contar com a boa vontade dos outros para conseguir se comunicar com esse inglês.

Enfim, não dá para manter uma conversação de verdade com esse inglês. Por isso, é chamado de "**fractured English**" (inglês fraturado).

b) A conversação de resultados

Agora sim, o inglês de diálogos.

A conversação de diálogos acontece em particular. Nada de plateia. Nada de impressionar. Por isso, quanto mais simples e direto melhor. É o inglês deste livro. Por favor, nunca perca isso de vista.

Enfim, a conversação está ao seu alcance. Ela é mais simples do que você imagina. Todo nosso esforço tem sido para demonstrar isso. Para tornar sua mente fértil para receber o inglês de entendimento instantâneo: o inglês de frases prontas.

Como esse inglês é instantaneamente entendido pelo outro, você fala e produz resultados. Daí, "conversação de resultados".

Então, "resultado" significa ser entendido pelo outro. Este é o ponto mais importante para o aluno considerar: o outro no seu inglês.

Então, conversação é falar em função do outro.

Por isso, nesta fase (nível intermediário) o professor começa a apontar o "outro" assim:

Se for numa loja você deve falar assim.

Se for com uma pessoa formal você deve falar assim.

Se for numa reunião de negócio é assim, etc.

O que o professor quer dizer? Simplesmente que conversação só acontece se o outro aceitar o seu inglês. Se não aceitar a conversação não acontece.

Exemplo. Tente imaginar uma família conversando no café da manhã. Tente imaginar o diálogo e o inglês usado. É inglês simples e direto.

Qualquer situação que você imagine (situação em particular) a conversação é simples e direta. O inglês? O de frases prontas. Claro, situações comuns e normais.

c) Conversação em nível de proficiência

É o inglês que se usa para reportagens, discursos, documentários, relatórios, entrevistas, etc.

É inglês para o público, para a plateia. Por isso, além da preocupação de se comunicar, entram em cena outras necessidades como impressionar, dramatizar, mostrar conhecimentos, usar frases de impacto, etc.

É inglês super avançado no nível de proficiência. É inglês elaborado para o público.

Exemplo: tente imaginar um diálogo entre o paciente e o médico numa consulta. Depois tente imaginar esse médico falando dessas consultas em um congresso médico. Tente imaginar qual inglês é usado em cada caso. Aí você tem um exemplo típico do "inglês de diálogos" e "inglês para plateia".

CONCLUSÃO

Bem, chegamos ao fim do livro.

Esperamos ter mudado sua visão sobre conversação.

Caso você tenha desistido, pense seriamente em voltar às aulas de inglês.

Agora, com a mente bem orientada, tudo ficará mais fácil.

Lembramos que este livro é um manual. Não é ler uma vez e guardar. É ler sempre que precisar.

Nossos agradecimentos:

A você, leitor, por acreditar nas nossas orientações.

Ao colega professor, pelo interesse em ler o livro.

Aos pais, por confiarem este livro aos seus filhos.

A um livro que muito nos estimulou: *O jeito que a gente diz* de Stella E. O. Tagnin. da Editora Disal.

NOSSA HOMENAGEM AO PROFESSOR DE CONVERSAÇÃO

O professor de conversação, na verdade, exerce uma tripla função: a de professor, a de **coach** e a de mentor.

Como professor, ele ensina a língua inglesa.

Como **coach,** ele treina o aluno para ser fluente na conversação de resultados. Orienta em tudo que precisa. Anima-o e motiva-o.

Como mentor, ele inspira o aluno a descobrir os valores nas relações interpessoais. Afinal, ser fluente não é apenas falar bem a língua; ser fluente é ser aceito como pessoa.

Todos os bons professores agem assim por vocação. São assim pelos alunos. Basta ver como os olhos dos alunos brilham ao perceber instintivamente a tripla atuação do seu professor. Por isso, o aluno reconhece nele um líder.

De tão natural, o professor não percebe que faz tudo isso: é professor, é **coach** e é mentor. Para o aluno, um líder.

É o nosso reconhecimento.

Os autores.

Autora – Aysha Hijo Capano

Nasci em São Paulo. Filha de pais professores de inglês, comecei a falar o idioma muito cedo, e depois como professora passei a me interessar pelo sucesso dos meus alunos.

Fui aperfeiçoar meu inglês na Inglaterra em 1992. Estudei na cidade de Cambridge, onde obtive os certificados CPE (Cambridge Proficiency Examination) e também o “Oxford Higher”.

Fiz a Complementação Pedagógica na Universidade Presbiteriana Mackenzie em São Paulo em 1993.

Fui morar nos Estados Unidos em 1995, acompanhando meu marido que foi fazer um curso de pós-graduação e aproveitei a oportunidade para estudar o uso do inglês por brasileiros. Foram quase três anos, em Los Angeles, California, e em New Paltz, no estado de Nova York. O resultado está neste livro.

Fiz estágio no Sheraton Hotel, em Poughkeespsie, NY, onde me especializei em inglês de hotelaria.

Atuei como intérprete, acompanhando uma comissão da Associação da Polícia Militar do Estado de São Paulo, em visita técnica à polícia de Los Angeles, California, em 1997.

Trabalhei como tradutora nas palestras que professores da Universidade de Pittisburg, Kansas, EUA, realizaram em 2001 na Universidade Mackenzie em São Paulo.

Contato: aysha.hijo@terra.com.br

Co-Autores – Moriaki Hijo e Neusa M. Cassoni Hijo.

Somos professores de inglês, pais da autora e dirigimos nossa escola de idiomas em São Caetano do Sul, SP.

Sempre nos preocupamos com um ponto: cada aluno precisa saber transformar o inglês que aprende em linguagem pessoal. Só assim ele consegue falar de fato.

O adulto merece mais um tratamento. Ele precisa de treinamento para conversação de resultados. E isso só é possível se a sua mente estiver fértil para receber este treinamento. Ou seja, conhecer os fundamentos da conversação. Foi essa necessidade que inspirou este livro.

Contato: moriakihijo@gmail.com